www.boekerij.nl

Roger Rosenblatt

Herinneringen aan Amy

ISBN 978-90-225-5747-1
NUR 320

Oorspronkelijke titel: *Making Toast*
Oorspronkelijke uitgever: Ecco, an imprint of HarperCollins*Publishers*, New York
Vertaling: Jeannet Dekker
Omslagontwerp: HildenDesign, München
Foto voorzijde omslag: © Rose Spill / Getty Images
Foto auteur: © Giny Rosenblatt
Zetwerk: CeevanWee, Amsterdam

Published by arrangement with HarperCollins*Publishers*.

voor Amy

De truc is dat je je tijdens het speuren naar een kwijtgeraakte tand in koffiedik niet moet laten misleiden door de klontjes. De enige manier om op zeker te spelen is elk klontje tussen je duim en wijsvinger fijnwrijven, en daar krijg je vieze handen van. Ginny en ik hebben vanmorgen minstens twintig minuten lang in de afvalemmer in de keuken staan wroeten, zoekend naar de bovenste linkerhoektand van onze zevenjarige kleindochter Jessica. De tand zat al dagen los en is uiteindelijk in een kommetje Apple Jacks gevallen. Ik had hem in een papieren servetje gewikkeld en op het aanrecht gelegd, maar daardoor dacht Ligaya, Bubbies' kindermeisje, dat het afval was. Bubbies (James) is twintig maanden oud en de jongste van de drie van onze dochter Amy. Sammy van vijf heeft geen belangstelling voor onze tandenjacht, en Jessie is zich nergens van bewust. We hopen maar dat we de tand zullen vinden, zodat Jessie niet bang hoeft te zijn dat de tandenfee haar overslaat.

Dit soort dingen beheerst nu al een half jaar ons leven, sinds de dood van Amy op 8 december 2007 om half drie 's middags. Vandaag is het 9 juni 2008. Op de dag van haar dood zijn Ginny en ik van ons huis in Quogue aan de zuidkust van Long Island naar Bethesda in Maryland gereden, waar Amy met haar man Harris woonde. Op Harris' aandringen zijn we sindsdien gebleven. 'Hoe lang blijven jullie?' vroeg Jessie de volgende ochtend. 'Voorgoed,' zei ik.

Amy Elizabeth Solomon-Rosenblatt, achtendertig jaar oud, vrouw van handchirurg Harrison Solomon en moeder van drie kinderen, is thuis op haar loopband in de speelkamer op de begane grond in elkaar gezakt. 'Jessie en Sammy hebben haar gevonden,' vertelde onze oudste zoon Carl ons over de telefoon. Carl woont met zijn vrouw Wendy en hun twee zoons Andrew en Ryan in Fairfax, Virginia, niet al te ver van Amy en Harris. Jessie was naar boven gerend om Harris te halen. 'Mama zegt niets,' zei ze. Harris had een paar tellen later beneden gestaan en geprobeerd Amy te reanimeren, maar haar hart was al gestopt en ze kon niet meer tot leven worden gewekt.

Amy's dood werd omschreven als 'een plotseling overlijden ten gevolge van een afwijkende rechterkransslagader'. Haar beide slagaders voedden haar hart vanaf dezelfde kant, terwijl de kransslagaders normaal gesproken elk aan een andere kant van het hart liggen, zodat bij uitval van de ene de andere ader de taak kan overnemen. In Amy's hart lagen ze naast elkaar. Ze zijn mogelijk ingeklemd geraakt tussen de aorta en de longslagader, die tijdens lichamelijke inspanning kunnen uitzetten. De bloedsomloop werd afgekneld. Haar aandoening, die minder dan twee op de honderdduizend personen treft, was asymptomatisch; ze had er op elk willekeurig moment van haar leven aan kunnen bezwijken.

Een dergelijk onomwonden oordeel had ze wel kunnen waarderen. Amy is altijd al gesteld geweest op duidelijkheid en wist zelfs als klein kind al intuïtief dat het in bepaalde situaties het beste was gezond verstand te tonen. Ze had een breed voorhoofd, donker, bijna zwart haar en lichtbruine ogen. Ze was zelfbewust en onzelfzuchtig, en wanneer ze je aankeek, was er geen twijfel mogelijk dat je haar volledige aandacht had.

Ze kon door haar duidelijkheid onverbiddelijk zijn waar het naaste familie betrof, met name haar twee broers. Carl en onze jongste zoon John trokken altijd wit weg wanneer Amy hun de les las omdat ze bijvoorbeeld stiekem op haar kamer waren geweest. Ook kon ze je met haar gevatheid op een zachtaardige manier plagen. Toen ze aan de NYU School of Medicine afstudeerde in de geneeskunde vroegen haar medestudenten of ik een toespraak wilde houden. Volgens de traditie van die universiteit moet een oud-student van een eerdere lichting de kersverse arts de kappa van de toga uitreiken. Harris, die een jaar eerder zijn studie had voltooid, was degene die Amy zou 'kappen'. Tijdens het diner op de avond ervoor merkte een vriend op: 'Dat is echt geweldig, Amy, je vader houdt een toespraak en je verloofde gaat je kappen.' Amy zei: 'Inderdaad, en het is ook niet verkeerd dat ik afstudeer.'

Haar heldere kijk op zaken droeg ook bij aan haar vriendelijkheid. Toen ze zes was, bracht ik haar een keer samen met drie vriendinnetjes naar een verjaarspartijtje. Een van de meisjes werd wagenziek, maar terwijl de andere twee begrijpelijkerwijs onder het slaken van kreten als 'Bah!' en 'Jakkes!' terugdeinsden, schoof Amy dichter naar het arme kind toe, zodat ze haar kon troosten.

Ginny en ik verruilden een huis met vijf slaapkamers, een studeerkamer en een ruime keuken voor een logeerkamer met aangrenzende badkamer: het onderkomen voor schoonouders, in een hoek naast de speelkamer, waar we tijdens onze bezoeken ook altijd hebben geslapen. We zetten er een ladekast en een tafel neer, en Harris voegde er nog een televisie en een vloerkleed aan toe. Zo op het oog hebben we aan comfort moeten inleveren, maar hoe ouder je wordt, des te minder behoefte aan ruimte je hebt, en des te minder noten op je zang. En we hebben ons huis in Quogue nog.

Ik merkte dat ik niet meer kon schrijven en dat ook niet wilde. Lesgeven kon ik wel, en mede daardoor voelde ik me nuttig. Op zondag rijd ik van Bethesda naar Quogue en tref daar aan het begin van de week op Stony Brook University mijn studenten; ik geef Engelse literatuur en schrijfworkshops voor aankomende masters. Daarna rijd ik weer terug naar Bethesda. De rit duurt vijf uur en kost me een hele tank benzine, maar het is gemakkelijker en sneller dan de trein of het vliegtuig.

Tijdens die eerste weken was de kans groot dat ik me schuldig maakte aan hufterig weggedrag. Ik maakte zonder reden ruzie met winkelpersoneel. Ik verloor mijn geduld tegenover een studente die me iets te vaak belde om over haar werk te praten. Ik werd ontzettend kwaad op degenen die voor Amy's dood hedendaagse clichés gebruikten als 'het een plekje geven' en 'het laten overgaan'. Ik vervloekte God. Op een of andere manier kon ik de dood van Amy juist beter begrijpen omdat ik in God geloof, want mijn God is geen weldoener. Het kan Hem niet schelen. Een vriend van ons was in Jeruzalem toen hij het nieuws over Amy hoorde. Hij heeft tegen de Klaagmuur staan schoppen en 'Krijg wat, God!' geroepen. Daar was ik het helemaal mee eens.

Wat is Jessies favoriete winterjas? De blauwe, niet de roze, hoewel roze haar lievelingskleur is. Sammy wil volle melk over zijn Froot Loops of Multigrain Cheerios. Hij noemt het 'rundmelk'. Jessie drinkt alleen sojamelk van Silk. Ze wil graag een glas bij het ontbijt. Sammy wil liever water. Dergelijke informatie moesten we vlug opnemen. Sammy ziet zichzelf als de zilveren Power Ranger, Jessica is de roze. Sammy's vriendjes heten Nico, Carlos en Kipper; de vriendinnetjes van Jessie heten Ally, Danielle en Kristie. Er moeten speelafspraken worden gemaakt, uitnodigingen voor verjaarspartijtjes worden beantwoord, formulieren voor school worden ingevuld. Sammy zit op de Geneva Day School, een particuliere voorschool, en Jessica op Burning Tree, de plaatselijke openbare basisschool. We hebben ons hun roosters eigen moeten maken.

Ik heb opnieuw moeten wennen aan kleinekinderdingetjes die ik weer was vergeten. Pratend speelgoed is teruggekeerd in mijn leven. Ik kan met mijn familie over een luchthaven lopen en de stem van een buiksprekerspop uit een griezelfilm uit een koffer horen klinken. Buzz Lightyear zegt: '*To infinity and beyond!*', een sprekende telefoon zegt: 'Help mij!', een ander stuk speelgoed zegt: 'Ik ben een varken. Kunnen we stoppen?'

Twee dingen bleken bij dit alles van onschatbare waarde. Het eerste was dat Leslie Adelman, een vriendin van Amy en Harris en de moeder van vriendjes van de kinderen, een website in elkaar zette waarop ze mensen uitnodigde om voor ons te koken. Leslie, onze schoondochter Wendy, vriendin en medemoeder Laura Gwyn en Amy's oude studievriendin Betsy Mencher stuurden mailtjes rond, en al snel was er een bestand van wel honderd deelnemers – andere gezinnen van school, vrienden en collega's van Amy en Harris, buren – die maaltijden voor ons achterlieten in een blauwe koelbox bij de voordeur. Van half december tot begin juni werd er zo om de dag een maaltijd afgeleverd die ook nog voldoende was voor de dag erna.

Het tweede onmisbare element was de onverbloemde goede raad die Harris kreeg van Bubbies' kinderjuf. Ligaya is een klein, sierlijk vrouwtje van begin vijftig. Het enige wat ik van haar weet, is dat ze uit de Filippijnen komt, daar nog een dochter heeft wonen en dat haar volwassen zoon hier manager is van een restaurant. Ze heeft een ijzeren arbeidsethos en is zo flexibel dat ze op elke onvoorziene gebeurtenis kan inspringen. Ze heeft op praktische wijze aangetoond hoe belangrijk formaliteiten kunnen zijn door Bubbies gewoon James te noemen, en niet het koosnaampje te gebruiken dat Amy voor hem had bedacht, zodat ook de voornaam met wat meer gewicht voor de toekomst is veiliggesteld. Ligaya heeft haar dagindeling zo aangepast dat ze vijf dagen per week twaalf uur per dag bij ons kan zijn; dat is een onvoorstelbaar groot geschenk, zeker voor haar kleine beschermeling, die al begint te lachen zodra hij haar sleutel in het slot van de voordeur hoort. Zij moet van al diegenen buiten de familie de dood van Amy als het meest ingrijpend hebben ervaren, en toch was hetgeen wat ze tegen Harris en de rest van ons zei gespeend van elke emotie: 'Jullie zijn niet de eersten die door zoiets heen moeten, maar jullie zijn er beter tegen gewapend dan de meeste anderen.'

Bubbies zoekt Amy, zegt 'mama' als hij foto's van haar ziet en klampt zich vast aan zijn vader. Bubbies heeft blond haar en een gezicht dat doorgaans in het teken staat van aandachtig zwijgen. Wanneer ik alleen met hem ben, zit hij vrolijk te spelen. Ik heb hem geleerd hoe je een high five maakt, en wanneer hij me die geeft, doe ik net alsof ik achterovertuimel, zodat de indruk wordt gewekt dat hij heel erg sterk is. Hij kan uren zoet zijn met een pot en een stel gevulde repen; hij haalt de pot uit het ene keukenkastje en de repen uit het andere, stopt ze in de pot en doet het deksel erop. Wanneer Harris de keuken binnenkomt, laat Bubbies alles uit zijn handen vallen, rent naar hem toe en grijpt hem stevig bij zijn knieën.

Jessie is lang, eveneens blond en heeft altijd een enthousiaste uitdrukking op haar gezicht. Amy zei altijd dat ze nog nooit zo'n optimistisch persoon had gekend. Ze is opgetogen vanwege haar hiphopdansles, vanwege een benefietconcert dat haar school ter nagedachtenis van Amy organiseert en waarvan de opbrengst bestemd is voor een studiefonds aan de NYU School of

Medicine, vanwege een bezoek aan *De Notenkraker*. ‘Dans eens *De Notenkraker*, Boppo,’ zegt Jessie (Ginny is Mimi, ik ben Boppo.) Ik stort me met verve in mijn geïmproviseerde ballet en draai bij wijze van hoogtepunt met mijn achterste, net als de dansende muizen. Jessie is ook opgetogen vanwege het uitstapje naar Disney World dat voor januari op de agenda staat, een avontuur dat Amy en Harris al maanden voor de dood van Amy voor hun drie kinderen en henzelf hadden gepland. We praten over het vage plan de zomer in Quogue door te brengen. Jessie is opgetogen.

Sammy is ook lang en heeft donker haar en ver uit elkaar staande ogen met een peinzende blik. Hij geeft me een boek over een rups dat ik moet voorlezen, en ook een ander boek dat toevallig in huis ligt en volgens de titel de schoonheid van de dood tracht te verklaren voor kinderen. Het boek zegt: ‘Alles wat leeft, kent een begin en een einde. De tijd ertussen is het leven.’ De lessen worden geïllustreerd met plaatjes van vogels, vissen, planten en mensen. Ik leun achterover op de bank, met Sammy in de kromming van mijn arm, en lees hem voor over de schoonheid van de dood.

Net als andere niet-religieuze families heeft ook de onze de neiging alleen de feestdagen te vieren die interessant zijn voor kinderen: eieren en de haas met Pasen en de boom en de Kerstman met Kerstmis. Het was kenmerkend voor Amy dat ze al maanden van tevoren met de voorbereidingen voor kerst was begonnen. Overal in huis lagen nog niet ingepakte cadeautjes voor Jessie, Sammy en Bubbies verstopt. Traditionele en zelfgemaakte kerstversieringen waren uit de jaarlijkse opslag gehaald: kleine, geverfde poppetjes van klei die een rij kerstliedjes zingende familieleden voorstelden, de verzameling foto's van haar eigen gezin die elk jaar was gegroeid, kerstversiering die ze van Ginny en mij had gekregen. Op de ochtend van de dag dat Amy stierf, had ze net samen met Harris hun kerstboom uitgezocht. Tijdens de eerste dagen van rouw is hij op het terras blijven staan, in een hoek van veertig graden tegen een paal geleund, met zijn kluit in een emmer water. Ten slotte hebben we hem maar naar binnen gehaald en deden we ons best de feestdagen zo normaal mogelijk te laten lijken.

Op kerstavond maakte Ginny een kalkoen klaar voor Harris, John (die een paar dagen over was uit New York) en mij. Ik las Jessie en Sammy *The Night before*

Christmas voor, zoals ik ook altijd voor mijn drie eigen kinderen had gedaan, en probeerde hen bij de les te houden door onzinnige betekenissen te verzinnen voor onbekende woorden. Een jaar eerder werden ze bij de eerste regel al ongedurig, maar dit jaar bleven ze zitten luisteren totdat ik het hele gedicht had voorgelezen. Toen de kinderen eenmaal sliepen, openden Ginny, Harris en ik een paar cadeaus die de Kerstman zou komen brengen. Jessie gelooft nog steeds omdat ze dat zo graag wil. Voor haar was er een American Girl-pop, voor Sammy een outfit van de Power Rangers en dvd's, en voor Bubbies een speelgoedbeagle met afstandsbediening die kon lopen, zitten en keffen. Harris ontfermde zich over het speelgoed dat nog in elkaar moest worden gezet en was binnen een half uur klaar met een elektrische racebaan die mij als jonge vader een halve dag zou hebben gekost. En zijn constructie valt niet om. Hij had ook samen met de kinderen de kerstboom versierd. Hij had de witte lampjes opgehangen.

Carl, Wendy en hun zoons brengen de kerst meestal door bij Wendy's familie in Pittsburgh en kwamen daarom een dag eerder langs om cadeautjes uit te wisselen. Carl en ik gaven Harris kaartjes voor het Master Golf Tournament in april. Daar heeft hij altijd al een keer heen gewild. We gaven hem twee kaartjes, zodat hij samen met een vriend kon gaan. Pas later hoorden we dat hij er het jaar erop met Amy heen had willen gaan om zo zijn veertigste verjaardag te vieren. Omdat we het idee pas op het allerlaatste moment hadden gekregen, hadden we de echte kaartjes nog niet ontvangen, alleen de reservering. Carl maakte er een fraai cadeau van door die tekst af te drukken op een foto van de golfbaan in Augusta, alsof het de aankondiging van een prijs betrof. Eigenlijk wilden we het cadeau verstoppen in zo'n knalgroen sportjasje waarin ook de winnaar van de Masters wordt gehuldigd, maar omdat we dat niet konden vinden, moesten we het met een olijfgroen windjack doen. Toen we dat jack aan Harris gaven, dacht hij eerst dat dat het cadeau was en reageerde hij heel blij. We zeiden tegen hem dat hij in de binnenzak moest kijken. Hij stond daar met het vel papier in zijn handen en barstte in tranen uit.

De kaartjes voor de Masters waren een idee van Carl. Dat soort dingen doet hij wel vaker. Op een of andere manier is zijn karakter een mengeling van dat van Amy en dat van Harris: hij heeft altijd oog voor anderen en lijkt overal goed in te zijn. Hij heeft het eerlijke, plooi-

bare gezicht van een man die ervoor zorgt dat je je op
onbekende plekken welkom voelt, van iemand die in
een menigte je naam roept en je wenkt. Na zijn studie
heeft hij zonder veel succes geprobeerd een carrière
als sportjournalist op te bouwen en is daarna in het be-
drijfsleven beland. Hoewel hij geen economie heeft
gestudeerd, klom hij meteen op naar hogere kader-
functies. Hij kan de mensen onder hem het gevoel geven dat ze nuttig zijn en gewaardeerd worden. Hij is
een heer. Hij is een geweldige vader. En hij is de snel-
ste leerling die ik ooit heb gezien. Als jongetje van drie
leerde hij al wat breuken waren door naar de kilome-
terteller in de auto te kijken, die de snelheid in tienden
van mijlen aangaf. Het leek wel alsof hij in trance
raakte wanneer hij iets uitrekende, en zo kijkt hij vandaag de dag nog steeds wanneer ik hem iets voorleg
wat voor mij een wiskundig probleem is. Hij lijkt zich
elke minuut van zijn kindertijd te kunnen herinneren,
en Ginny en ik prijzen ons gelukkig dat de meeste van
die herinneringen positief zijn; zelf lijken we vooral
onze vergissingen te onthouden. Zijn herinneringen
aan Amy, die zich vooral aan hem leek te ergeren of
humeurig van hem werd, zijn erg grappig. Zijn haar
wordt grijs.

Het is januari 2008 en het loopt tegen het einde van de middag. Ginny zit in de hotelkamer in Disney World op het bed, met Bubbies in haar armen. Hij slaapt eindelijk, nadat hij eerst een paar uur over het gras heen en weer heeft gerend en elke keer wegglipte wanneer we hem terug in zijn buggy probeerden te zetten. Toen ik gisteren alleen met hem was, maakte hij een duikeling op het pad, bleef een paar minuten lang hartstochtelijk huilen en wilde toen dat ik hem weer neerzette, zodat hij verder kon rennen door de winterkou. Het is al jaren niet meer zo koud geweest in hartje Florida.

Terwijl Harris met Jessie en Sammy naar Space Mountain was, bleven wij bij Bubs, die wederom geen moment stil leek te kunnen zitten. 'James, je bent veel te druk,' zei Amy op dat soort momenten altijd. Uiteindelijk werd hij toch moe en bracht ik hem naar onze kamer, waar hij een nieuwe vlaag energie kreeg en weer in het rond begon te rennen. Ik gaf hem een paar partjes appel, die zo hard waren dat ik ze moest voorkauwen. Ten slotte viel hij in slaap.

Jessie was zo vol geweest van het uitje dat ze haar klasgenootjes had verteld wanneer ze precies zouden gaan. Toevallig was Amy die dag in haar klas aan het helpen, en het schoolhoofd kwam ook even langs. Toen Jessie eruit flapte op welke datum ze zouden gaan, keek het hoofd ontzet. 'O, maar dan kun je helemaal niet, Jessie,' zei ze. 'Dan moet je naar school.' Amy probeerde schaapachtig wuivend weg te kruipen achter een tafeltje.

Het licht dat door het raam naar binnen valt, is bleek en koud. De tv staat uit. Ook vanuit de gang dringt geen enkel geluid door. Er heerst stilte in Disney World. Ginny zit met haar rug naar me toe op het voeteneinde. Ik zie haar achterhoofd, en boven haar linkerschouder piept de kruin van Bubbies omhoog.

We vinden onze draai in het huis van Amy en Harris. Vroeger kenden we het alleen van bezoekjes die enkele dagen, hooguit een week duurden. Nu is het van ons, zonder dat het van ons is, vertrouwd en vreemd tegelijk. We leren hoe we de glazen deur tussen de keuken en het terras moeten sluiten. We leren hoe de vaatwasser werkt, en de thermostaat. We leren waar het gereedschap, de verlengsnoeren, het plakband en de gloeilampen worden bewaard. We onthouden in welke laden de kleren van de kinderen liggen en waar lievelingsboeken en -spelletjes worden bewaard, zoals Balloon Lagoon, Cariboo, The Uncle Wiggily Game en Perfection. Omdat Bubbies graag de dozen met spelletjes uit de kast trekt en de inhoud over de vloer verspreidt, zodat essentiële onderdelen soms verloren gaan, is het niet meer zo belangrijk om te weten welk spel waar ligt.

Ginny gaat over de hoofdzaken. Ze legt de kleren voor de kinderen klaar, kijkt of ze hun tanden hebben gepoetst, vlecht Jessies haar en controleert de rugzakjes. Ze staat op nagenoeg elk moment van de dag paraat. Harris heeft haar Amy's mobieltje gegeven, waarop Ginny een eigen meldtekst heeft ingesproken. Wie de voicemail aan de lijn krijgt, hoort: 'Hallo, dit is 301...' gevolgd door de kreet: 'Mimi!' – Jessie had weer eens iets nodig net toen Ginny aan het inspreken was.

Ik doe de onregelmatige klusjes, zoals de kinderen naar afspraken brengen en boodschappen doen bij Whole Foods of Giant. Af en toe draag ik een idee bij. Kort na Amy's dood ben ik met het 'woord van de ochtend' begonnen. Aan het begin van de dag schrijf ik een woord op een gele Post-it, die ik op een houten servethouder op de keukentafel plak. Meestal maak ik er een spelletje van en vraag ik aan Jessie en Sammy of ze er andere woorden in kunnen ontdekken, of teken ik er iets bij. Toen het woord van de ochtend ‘hippisch’ was, heb ik een paard getekend dat erg veel op een paard leek. Ik probeer woorden te bedenken die voor Sammy een uitdaging zijn, maar die niet te gemakkelijk zijn voor Jessie. Ik probeer vooral woorden met interessante elementen te bedenken, zoals een stomme klank. Het eerste woord van de ochtend was ‘antwoord’. Sammy zei: ‘Geef ons morgen maar een gek woord, Boppo.’ De volgende ochtend was het woord ‘bolus’.

Ik sta eerder op dan de anderen, meestal rond een uur of vijf, zodat ik die ene huishoudelijke taak die ik goed beheers kan uitvoeren. Nadat ik het woord van de ochtend heb bedacht, de vaatwasser heb leeggeruimd, de tafel voor het ontbijt van de kinderen heb gedekt en hun kommetjes heb gevuld met Multigrain Cheerios of Froot Loops of Apple Jacks of Special K of Fruity Pebbles, ga ik brood roosteren. Ik zet de boter op tafel, zodat die wat zachter kan worden, en ik stop drie sneetjes Pepperidge Farm Hearty White in de broodrooster. Bubbies en ik willen alleen boter op ons brood, Sammy heeft liever kaneel, en brood zonder korstjes. Wanneer het belletje gaat, leg ik de sneetjes op de borden en smeer er boter op.

Harris brengt doorgaans de halve nacht in Bubbies' kinderbedje door. Als ik rond een uur of zes naar boven loop, wil Bubbies aanvankelijk niet mee, maar dan kijk ik hem veelbetekenend aan en spreidt hij zijn armpjes. 'Brood roosteren?' zegt hij. Ik pak hem van zijn vader over, verschoon hem en draag hem naar beneden, zodat Harris nog een minuut of twintig kan slapen.

Sammy blijft nuchter. Op een dag zitten we aan het einde van de middag samen tv te kijken en verschijnt er een moeder op het scherm. 'Ik heb geen moeder meer,' zegt hij. In het begin probeerden we hem nog duidelijk te maken dat Amy voortleefde in onze gedachten en herinneringen. 'Mama is nog steeds bij ons,' zei ik dan. Sammy vroeg waar precies. Hij wees naar een punt in de lucht. 'Is mama daar?' Hij wees naar een ander punt. 'Daar?' Ik zei ja. Ik zei: 'Ze is altijd bij ons, overal. We kunnen haar niet zien, maar we kunnen haar geest wel voelen.' Hij zei: 'Daar?'

Terwijl Ligaya en Ginny op Bubbies en Sammy passen, breng ik Jessie naar de bushalte. Op een klamme grijze morgen staan we samen op de hoek van onze straat. De moeders uit de buurt komen een voor een de heuvel af, hun kinderen rennen naast hen voort. Er ontstaat een spontaan potje voetbal. Jessie doet mee. Het is een alledaags en vrolijk tafereel, totdat iemand de ongewone aanwezigheid van die ene opa opmerkt.

Met een beetje geluk zullen Ginny en ik alle drie de kinderen volwassen zien worden en zal Jessie uitgroeien tot een luimige tiener die zich druk maakt over vriendjes en stampvoetend rondloopt omdat we er niets, maar dan ook helemaal niets van snappen. Maar vandaag help ik haar nog met haar veel te grote roze rugzak en haar kleine paraplu met roze vlinders voordat ze de schoolbus in stapt. Ik kijk de bus na en wens de moeders een fijne dag.

Het huis dat Amy en Harris in 2004 hebben gekocht is een zandgeel pand in koloniale stijl, een huis met een eigen gezicht uit de jaren zestig waarin een gezin oud kan worden. Dikke muren, hardhouten vloeren die waterpas lopen, eikenbomen en walnotenbomen en populieren in de achtertuin, oud. Hoewel Amy in de stad was opgegroeid, had ze altijd al een huis in een buitenwijk willen hebben. Harris heeft zijn jeugd in Bethesda doorgebracht en zat op Burning Tree en de Walt Whitman High School, op slechts een paar honderd meter van het huis. Zijn liefde voor de plaats waar hij was opgegroeid kwam Amy goed uit. Telkens wanneer Ginny en ik op bezoek gingen, belden we een paar minuten voor aankomst vanuit de auto. Dan stond ze met een paar kinderen in de omlijsting van het donkerrode deurkozijn te wachten. Een lach op ieders gezicht.

Ze werkte slechts twee dagen per week in haar praktijk, zodat ze bij de kinderen kon zijn. Haar huishouden was zoals zijzelf: speels maar behoedzaam. In de kast beneden lagen altijd flinke voorraden verband, papieren zakdoekjes, bekers, koffiefilters, papieren handdoekjes en Kleenex, evenals batterijen in alle soorten en maten. We zijn nog steeds niet door de voorraad Advil heen.

Ze had gevoel voor tradities en gebruiken – de eigenschappen waar Yeats om vroeg in 'A Prayer for My Daughter'. De eerste jaren van de kinderen heeft ze voor het nageslacht vastgelegd door elke maand een foto te maken, die in te lijsten en aan de muren van hun kamers te hangen. Ze schonk veel aandacht aan verjaardagen en vakanties: ze maakte een schatkaart voor het Dora-feestje van Jessie en regelde bouwhelmen voor het Bob de Bouwer-feestje van Sammy. Tijdens haar laatste Thanksgiving kwamen er zeventien familieleden op bezoek, onder wie Harris' ouders Dee en Howard, zijn oudere zus Beth, en de ouders van Wendy, Rose en Bob Huber. Onder leiding van Amy sloofde een aantal koks zich in de keuken uit, zonder elkaar in de weg te lopen. Harris, Howard, Bob, Carl, John en ik keken zo veel als we mochten naar het football. De handchirurg trancheerde de kalkoen en gaf blijk van een indrukwekkend, maar griezelig talent waar het messen betrof. We namen plaats aan tafel. We brachten een toost uit. In het voorbije jaar was Howard aan zijn hartklep geopereerd en was ik succesvol behandeld voor prostaatkanker en een melanoom. Harris bracht een dronk uit op de wederom gezond verklaarde familie.

Harris is onvoorstelbaar stoïcijns. Hij is een sterke, breedgeschouderde man die moeiteloos alle drie zijn kinderen in één keer de trap op draagt. De aanblik van zijn rug maakt me verdrietig. Twee dagen per week staat hij in de operatiekamer en de rest van de week geeft hij leiding aan de afdeling Orthopedie in het Holy Cross Hospital. Thuis besteedt hij zijn schaarse vrije tijd aan zijn kinderen: hij bepaalt samen met Ginny en

Ligaya wat hun dagindeling is, doet spelletjes met zijn kroost en kijkt mee naar *SpongeBob*. Hij doet ze in bad en stopt ze in.

Op de dag van Amy's dood heeft hij in het ziekenhuis zeker een uur lang naast haar lichaam gezeten. Nu zegt hij zelden iets over zijn gevoelens. Ik praat met hem over sport en politiek, en de helft van de tijd zijn we het eens. We hebben het heel vaak over de kinderen. Ginny zegt tegen me dat haar hart breekt wanneer ik er 's avonds niet ben en ze alleen met Harris aan tafel zit. 'Zijn vrouw had daar tegenover hem moeten zitten,' zegt ze.

Hij betwijfelt of hij ooit nog zal hertrouwen. Hij kan zichzelf redden, hij lijkt een wereld op zich te zijn. Hij repareert dingen als lampen en wc's. Hij kan naaien. Hij lost problemen met elektrische draden en zekeringen op. Hij zorgt ervoor dat anderen hun handen weer kunnen gebruiken. En hij heeft alles gedaan wat je in zijn situatie kunt doen: de kinderen aanmoedigen om over Amy te praten wanneer ze dat willen en hun tranen niet in te slikken. Wanneer het nodig is gaat hij met de kinderen naar een psychotherapeut die gespecialiseerd is in rouwverwerking. Hij houdt nauw contact met de leerkrachten van Jessie en Sammy. Maar hij heeft ook recht op een eigen leven.

Hij aanvaardt alles wat hij voor zijn kiezen krijgt met een zekere geestdrift, en in de korte luwten proberen we elkaar boven water te houden. Op een avond in februari kregen Jessie en Sammy het bij het naar bed gaan te kwaad. Ginny en ik zaten in de woonkamer en hoorden tussen de huilbuien door de kalme stem van Harris. Uiteindelijk wist hij ze tot bedaren te brengen. Hij kwam naar beneden en zat nietsziend naar zijn laptop te staren. 'Hoor eens,' zei ik, nadat ik naar hem toe was gelopen, 'we zullen er nooit helemaal overheen komen. Dat is een feit. Maar de kinderen redden zich wel. Geloof me. Dat heb ik vaak genoeg gezien.'

'Ik ben wetenschapper,' zei hij. 'Ik kan moeilijk omgaan met dingen die geen vaststaande feiten zijn.'

'Harris maakt er het beste van,' had Amy altijd gezegd, en daarmee had ze de indruk gewekt dat zijn talent om zich aan moeilijke of oncomfortabele omstandigheden aan te passen een van zijn zwakheden was. Bij wijze van repliek wreef hij haar dan onder de neus dat ze altijd zo perfectionistisch was. Toen Carl hem op een dag vroeg wat Amy vond van hun nieuwe internet- en tv-aansluiting via de kabel, zei Harris: 'Amy vindt alles vreselijk.' Hij vertelde me dat ze een nieuw Noord-

Amerikaans record voor overdreven ingewikkelde bestellingen bij Starbucks had gevestigd. De bestelling varieerde per seizoen. In de winter bestelde ze een *triple grande, skim gingerbread latte*. In de zomer bestelde ze een *iced venti Americano* met suikervrije vanille.

Daar kon ik me wel iets bij voorstellen. Toen Amy hooguit drie was en we onderweg bij McDonald's stopten, bestelde ze altijd een hamburger zonder iets erop. En omdat McDonald's er niet op rekende dat een van al die miljarden hamburgers die elke dag in Amerika werden besteld onopgesmukt moest worden geserveerd, duurde het soms wel vijfentwintig minuten voordat haar bestelling klaar was.

'Weet je, Amy, toen ik een kleine meid was...'

'O, pap!' Ze had genoeg van het grapje.

Op een dag reden we vanuit Cambridge, waar ik lesgaf aan Harvard, naar New York. Het was de dag voor Thanksgiving, zodat de reis langer duurde dan gewoonlijk. Nadat Amy bij McDonald's een eeuwigheid op haar hamburger had moeten wachten, besloot ze dat ze ook nog een punt appeltaart wilde. Daar nam ze vervolgens uitgebreid de tijd voor. Ik zei tegen haar: 'Schiet eens op, A.' (We noemden haar A.) Ze gooide de appeltaart in de vuilnisbak. Toen we bij mijn ouders aankwamen, vroeg mijn jongere broer Peter aan Amy hoe de reis was verlopen. Ze zei: 'Ik mocht van papa niet eens mijn taart opeten.'

Amy en Harris konden elkaar zonder gevaar plagen, want hun huwelijk stond als een huis. Ze waren net een gemengd dubbel bij tennis: de een hoefde niet eens te kijken om te weten waar de ander op de baan stond. Een paar jaar eerder waren Ginny en ik op zaterdag komen oppassen omdat Amy en Harris naar een medisch benefietdiner moesten. Zoals de meeste jonge ouders leken ze onvermoeibaar, maar ze hadden bijna nooit tijd of fut om uit te gaan of zich op te doffen. Voordat ze vertrokken, stonden ze samen in de gang. Ze zagen er oogverblindend uit. Bij een andere gelegenheid reden we vanuit Quogue naar het zuiden om op de drie kinderen te passen. Bubbies was toen elf maanden oud. Amy en Harris gingen samen met Liz en James Hale, hun oude studievrienden, naar Bermuda. Toen ze vier dagen later weer binnenkwamen, waren Ginny en ik neergeploft op de bank, amper in staat tot nadenken. We begroetten hen met een aangepaste versie van een populair liedje uit dat jaar: '*They tried to make us go to rehab, and we said yes, yes, yes*!'

Tijdens de eerste jaren van ons huwelijk gaf Ginny les aan de laagste klassen van basisscholen in Cambridge en Washington DC, en nu helpt ze, net als Amy, vrijwillig een handje op de scholen van de kinderen. Ze helpt Jessie met haar huiswerk. Ik zie hen allebei aan de keukentafel over een boek gebogen zitten en ik hoor hen zachtjes praten. Ginny vraagt: 'Hoe beschermt de pop zichzelf tegen vijanden?' Jessie antwoordt: 'Door te trillen, zo laat hij ze schrikken.'

Met Jessie werk ik puzzelboekjes door, en Sammy bestookt me met vragen over dieren en sterren en planeten. Op de meeste daarvan moet ik het antwoord schuldig blijven. 'Hoe is het 's middags op Jupiter?' vraagt hij me. Dat moet ik opzoeken.

Ik verbaas me geregeld over een eigenschap van kinderen die ik was vergeten: ze kennen geen enkel respect voor lineair denken. In een poging aan hun nietaflatende vragenstroom tegemoet te komen, probeer ik zo goed en kwaad als het kan bijvoorbeeld een zonsverduistering te verklaren. Sammy vraagt dingen als: 'Wat is het grootste getal op aarde?' en op hetzelfde moment vraagt Jessie: 'Hoe lang denk je dat ik ga worden, Boppo?' gevolgd door Sammy: 'Hebben marlijnen ook lippen?'

'Dus als de maan tussen de aarde en de zon...'

'Waar heb je het over, Boppo?'

Bubbies maakt een eigen ontwikkeling door. Hij springt van een enkel woord naar meerdere woorden, naar zinnetjes van twee woorden, van drie en meer. Er wordt wel eens gezegd dat kinderen leren praten om de verhalen te vertellen die al in hen zitten. Een van zijn eerste woordjes was 'terug'. Hij wilde zeker weten dat iedereen die het huis of zelfs maar de kamer verliet ook weer terug zou komen. Hij heeft zinnetjes van een enkel woord altijd in zijn voordeel gebruikt en beschikt over een woordenschat die vooral verwijst naar dingen die hij leuk vindt: de grasmaaier, de oven, vogels, bananen. De losse woorden passen bij zijn tirannieke trekjes. 'Buiten' betekent: 'Schiet eens op, Boppo!'

Jessies juf, Coleen Carone, heeft me gevraagd of ik haar eerste klas op Burning Tree iets over schrijven wil vertellen. Juf Carone is jong en hip, en heeft dansende, priemende ogen. Ze noemt de kinderen 'lieverd'. Jessie stelt me voor aan haar klasgenootjes, die met hun handen voor zich op tafel gevouwen zitten en me van top tot teen monsteren. 'Dit is mijn opa. We noemen hem Boppo.' De kinderen praten over de verhaaltjes die ze aan het schrijven zijn. Ik begin te vermoeden dat dit voor mij te hoog gegrepen is.

Juf Carone vraagt me: 'Hoe werk je een personage uit, Boppo?' Ik geef brabbelend, stuntelend antwoord en vertel iets over consistentie en variaties in de ontwikkeling van personages. Hoe meer ik mijn best doe om mijn taalgebruik eenvoudig te houden, des te onsamenhangender ik klink. Mijn uiteenzetting wordt met beleefd staren begroet. Jessie staat desondanks trots aan mijn zijde. Juf Carone kijkt me met een opgewekte blik aan, alsof ze wil zeggen: Maak je geen zorgen, we komen er wel. Ze vraagt de kinderen om aan een hoofdpersoon te denken en zijn of haar eigenschappen op te sommen: trouw, jaloers, ruw, moedig, vrijgevig. De kinderen gaan een voor een voor de klas staan om vragen te beantwoorden. Arthur is bezig met een verhaal over een superheld.

'Wil iemand nog iets aan Arthur vragen?' vraagt juf Carone aan de klas.

'Spreekt jouw superheld de waarheid?' vraagt een meisje.

Arthur denkt even na en zegt ja.

'Altijd?' vraagt het meisje.

Eind februari voer ik in het kader van een serie lezingen georganiseerd door cultureel centrum 92nd Street Y in New York een 'literaire conversatie' met Alice McDermott. Alice en ik zitten in een auditorium schuin tegenover elkaar op een groot podium, onder het toeziend oog van honderden aanwezigen. Over het algemeen voel ik me bij zulke gelegenheden meer op mijn gemak dan in informele situaties omdat je er als middelpunt van zo'n optreden alleen voor staat, maar omdat dit mijn eerste openbare optreden sinds Amy's dood is, ben ik gespannen en uit mijn doen. De attente vriendelijkheid van Alice stelt me gerust.

We praten over *After This*, haar roman over een gezin waarvan de zoon sneuvelt in Vietnam. Het boek gaat niet zozeer over zijn dood als wel over de periode van rouw die het gezin daarna doormaakt en waarin het geloof in God op de proef wordt gesteld. Ik vraag aan Alice wat God ermee te maken heeft. Is het leven niet eerder een kwestie van geluk, van goed en fout? Zij zegt dat we moeten blijven geloven in Gods wil, die altijd goed is. 'Zelfs wanneer we met ondraaglijk verdriet worden geconfronteerd,' zegt ze, 'gebeuren er altijd weer kleine dingen die ons in staat stellen ons lot te dragen. John en Mary Keane worden getroffen door de grootste tragedie die ouders kan treffen, maar toch gebeuren er in hun leven dingen waardoor ze weer het geluk kunnen ervaren.' Volgens Alice hebben we dat soort momenten te danken aan de goedheid van God. Ik kan niet zeggen of ze begrijpt dat ik die gedachte niet deel.

Telkens wanneer de inspiratie toeslaat, zet ik het 'Volkslied voor Boppo' in, een lied dat een paar jaar eerder in Bethesda zijn première beleefde en dankzij de uitbundigheid van de componist een onmiddellijk succes was.

De Grote Boppo!
De Grote Boppo!
Ik wacht vol spanning op de Grote Boppo!
Ik hoop dat hij niet is te stoppen!

Soms verandert Sammy de laatste regel in 'Ik hoop dat hij niet zit te poepen', waarmee hij aangeeft dat de lofzang niet overal ter wereld op dezelfde ontvangst zal kunnen rekenen. Wanneer ik hem vertel dat ik zijn hele school het lied wil leren, kijkt hij akelig geschrokken. 'Echt waar? Maar er zitten wel vijfhonderd kinderen op school!'

'Ja, stel je voor!' zeg ik. 'Vijfhonderd kinderen die allemaal "De Grote Boppo!" zingen. Dan kun je pas trots zijn! Je bent immers dol op dat lied!'

'Ik vind het vreselijk!' zegt hij. 'Ik zing het alleen maar om jou een plezier te doen.' Ik pak hem bij zijn lurven en zet 'De lachende trommel' in, een ander familieversje, waarbij ik zijn buik als een trommeltje bespeel en hem als een bezetene kietel.

Amy verzon ook liedjes voor de kinderen. Vaak zong ze:

Sampie, Sampie, jij bent hier.
Sampie, Sampie, vol plezier.
Sampie, Sampie, jij zo zoet.
Grote tenen, kleine voet.

Carl wees haar er steevast op dat 'jij zo zoet' grammaticaal niet correct was en dat het vervangen van 'zo' door de persoonsvorm 'bent' een grote grammaticale en literaire verbetering zou betekenen. Amy liet hem op haar beurt weten wat ze van zijn constructieve kritiek dacht. Ik vond het een lief liedje, en dat heb ik ook tegen haar gezegd, al ontbeerde het de grandeur van een volkslied.

Kort voor de geboorte van Jessie vroeg Amy aan Ginny en mij en aan Dee en Howard hoe we als grootouders wilden worden aangesproken. Alle anderen kozen voor iets verstandigs. Ginny koos voor 'Mimi', naar haar eigen oma. Ik koos voor 'El Guappo', de knappe, wat de bijnaam was geweest van een niet bepaald succesvolle invalpitcher van de Red Sox. Als Yankee-fan kon ik het gebrek aan succes van El Guappo wel waarderen. Amy vond de naam maar niets, maar liet me mijn gang gaan. Uiteindelijk bleek dat ze niets te klagen had. De kleintjes konden 'El Guappo' niet uitspreken en verbasterden het tot 'Boppo'. 'Het is toch triest,' zei Amy. 'Hij zag zichzelf als de knappe, maar eindigde als de paljas.'

Toch heeft de naam ook voordelen. Op een ochtend had Jessie 'Nobody's Perfect' van Hannah Montana zo hard gezet dat het pijn deed aan je oren. 'Zet die muziek eens wat zachter, Jess,' zei ik tegen haar. Ze gehoorzaamde, maar met tegenzin, en draaide de volumeknop slechts een fractie van een millimeter terug. Ik keek haar kwaad aan. Ze draaide de knop nog iets minder ver terug. 'Zachter, Jess!' Stampvoetend liep ze naar de cd-speler, zette die met een dramatisch gebaar uit, stormde naar boven en wilde de rest van de dag geen woord meer tegen me zeggen. Ook tegen een vriendinnetje dat kwam spelen deed ze chagrijnig. 'Wat is er met je?' hoorde ik Harris toevallig aan haar vragen. 'Ik ben boos op Boppo!' zei ze. Hoe kan iemand nu boos zijn op Boppo?

'Wil er dan helemaal niemand Twister met me spelen?' Ginny, Harris en ik zitten op de bank in de tv-kamer. Jessie staat voor ons. Ginny en Harris blijven zwijgen. 'Wil er dan niemand hier Twister met me spelen?' Haar stem klinkt klaaglijk, ze heft haar handen met het smekende gebaar van een prekende zendeling omhoog. Ginny en Harris geven geen krimp. 'Ik doe wel met je mee, Jess,' zeg ik, even vergetend waarom Twister ook alweer Twister heet. Harris grinnikt boosaardig. 'O, dank je, Boppo!' roept Jess. 'Je bent de enige in de hele familie die met me wil spelen!'

Carl haalt me thuis op, en we rijden naar het Verizon Center in het centrum van Washington voor een basketbalwedstrijd van Georgetown. Een van de lichtpuntjes van onze nieuwe manier van leven is dat we hem, Wendy en de jongens nu vaker zien. Hij vertelt me dat Amy op de woensdag voordat ze stierf een lang bericht voor Wendy op het antwoordapparaat heeft achtergelaten. 'Ik heb A's bericht bewaard,' zegt hij. 'Wil je het horen?' Ik zeg van niet. 'Dat snap ik best,' zegt hij. 'Geef maar een gil als je van gedachten verandert. Het bericht is door en door Amy. Ze was kerstcadeautjes voor Andrew en Ryan aan het kopen, maar besefte tijdens het inspreken dat zij het bericht ook zouden kunnen horen, en dus probeert ze de cadeaus heel cryptisch voor Wendy te omschrijven. Het is heel grappig, niets verdrietigs of zo. Ik word er zelfs blij van.' Ik bedank hem voor het aanbod, maar liever niet.

Een dag na de dood van Amy hebben Carl, John en ik samen op het terras in Bethesda staan huilen. We hadden onze armen om elkaar heen geslagen en vormden zo een cirkel, als een stel parachutespringers, met onze kleding wapperend in de wind. Ik kon me niet herinneren dat ik een van die twee ooit had zien huilen, zelfs niet toen ze klein waren. Ik wist niet eens of zij mij ooit hadden zien huilen, behalve misschien een keer bij een heel sentimentele gelegenheid. Johns tranen kwamen op zijn wangen tot stilstand. Hij lijkt veel op Carl, maar zijn trekken zijn scherper. Hij beschikt net als zijn zus over een droog gevoel voor humor, maar zijn gevatte opmerkingen zijn altijd proactief en nooit een reactie. Hij herkent culturele blaaskakerij zodra hij daarmee te maken krijgt en kan op sonore, quasispottende toon clichés imiteren. Ginny en ik varen blind op zijn oordeel aangaande recente films. Hij is net als Carl vriendelijk tegen anderen. Hij is net als Carl bezeten van sport en heeft de neiging de tv te lijf te gaan wanneer een scheidsrechter een verkeerde beslissing neemt of een speler iets stoms doet. De broers hebben een hechte band met elkaar, zoals ze die ook met Amy hadden. Hoewel ze bijna drie jaar jonger was dan Carl en negen jaar ouder dan John, leek ze hen door haar sterke karakter allebei iets beschaafder te maken. Het nadeel van zo'n hechte familie is dat ook leed meteen zo hard aankomt. Ik stond met mijn twee zoons in de kou, sloeg mijn armen om hen heen en voelde de schouders van mannen.

De dood van Amy heeft de zoons van Carl ongerust gemaakt. Ze beseffen nu dat je zomaar je moeder kunt verliezen en maken zich druk wanneer Wendy even weg is. Ze vragen telkens waar ze is en wanneer ze weer terugkomt. Ze houden de wacht voor het raam. Ze piekeren over Amy. Ryan van drie zegt tegen Carl:

'Ik wou dat ik naar de hemel kon springen.' Ryan is lang; bij zijn geboorte woog hij al bijna tien pond en sindsdien is hij een reus geworden. Soms denkt hij dat hij een superheld is met bovenmenselijke krachten. 'Waarom wil je naar de hemel springen?' vraagt Carl hem. 'Dan kan ik tante Amy pakken en haar mee terug naar beneden nemen.'

Wendy en Amy hadden geen van beiden zussen, maar ze vonden een zus in elkaar. Het was vermakelijk die twee samen te horen lachen en van alles te zien bekokstoven. Wanneer je achter hen liep, leek het net een tweeling: dezelfde lengte, dezelfde bouw, hun hoofden naar elkaar toe gebogen. Net als Amy vindt Wendy haar gezin belangrijker dan haar werk, en toen ze moeder werd, zegde ze haar baan als analiste in de gezondheidszorg op. Net als Amy is ze direct en geeft ze ook antwoord op de vraag die haar wordt gesteld. Ze weet me in de hand te houden, net als Amy altijd deed. Ze heeft me een keer de betwetersversie van Trivial Pursuit cadeau gedaan. Toch verschilden de vrouwen voldoende van elkaar om hun vriendschap interessant te houden. Tijdens de uitvaart van Amy vertelde Wendy hoe Amy had gereageerd op het kringlooppapier dat

Wendy thuis gebruikte. Wendy's schoonzus, Risa Huber, had een vel gepakt, dat meteen bij het aanraken uit elkaar was gevallen. 'Wat is dit nu?' had ze gevraagd. 'Dat bedoel ik nou,' had Amy gezegd. Na de dood van Amy zei Wendy tegen Carl: 'We zijn allemaal kwaad. Maar niemand is zo kwaad als A.'

Er zijn dingen die ik niet wil weten en er zijn dingen die Ginny niet wil weten. De artsen die we na Amy's dood raadpleegden, gaven antwoorden die net verschillend genoeg waren om ons te laten piekeren en twijfelen. Ginny wilde doorvragen, naar een definitief antwoord zoeken. Ik had mijn twijfels. Ik wilde niet horen dat Amy's aandoening zo ontzettend zeldzaam is, en dat het nog zeldzamer is dat iemand eraan overlijdt. Een van de cardiologen die ik vlak na haar dood sprak, zei onomwonden dat de kans uiterst klein is dat iemand met zo'n hart wordt geboren en dat de afwijking vrijwel nooit dodelijk is. Als ik zou moeten concluderen dat de kans op een dood als die van Amy een op een miljoen of zelfs een biljoen is, zou ik alleen maar kwader worden.

Aan de andere kant weigerde Ginny Amy in een open kist te zien. De uitvaartondernemer vroeg ons of we dat wilden, en omdat we bijna geen ervaring met zulke zaken hadden, zeiden Harris en ik ja – maar alleen voor de uren dat mensen afscheid konden komen nemen, niet voor de uitvaart zelf. Harris, Carl, Wendy, John, vrienden van Amy en Harris, en ik waren allemaal bij het condoleren aanwezig, maar Ginny weigerde. Ze wilde niet dat dat haar laatste blik op Amy zou zijn. Misschien heeft ze daar wel goed aan gedaan. Het wezen in de kist – met het haar in hetzelfde kapsel als Amy, gekleed in de bruine lievelingsjurk van Amy, en met een sjaal in rood en bruin – was een verre schim van onze dochter. We gingen een voor een bij de kist staan om afscheid te nemen. Uit gewoonte raakte ik haar haar aan.

Harris heeft een boksbal voor Sammy gekocht. Een zware Everlast, die aan kettingen aan het plafond van de speelkamer hangt. Wanneer Sammy hem niet gebruikt, doe ik het.

Ginny en ik hebben elkaar in de onderbouw van de middelbare school leren kennen en zijn nu al meer dan vijftig jaar samen. Terwijl ik met mijn vriendjes luidruchtig zat te lachen, keek ik even op van mijn tafeltje en zag het nieuwe meisje zitten, de eerste elegante dertienjarige die ik sinds de Britse monarchen zag. Toch is ze altijd een soort mysterie voor me gebleven. Ze kent geen ijdelheid. Wanneer ik haar ernaar vraag, zegt ze simpelweg: 'Ik heb het geluk dat ik met een mooi gezicht geboren ben.' Dat zou bij een ander misschien als zelfoverschatting of ijdele hoop klinken, maar in haar geval is het waar. Ze hééft een mooi gezicht, het soort gezicht waarnaar filmregisseurs uit de jaren dertig en veertig hadden kunnen zoeken. Het is niet de schoonheid van een femme fatale of een onschuldig meisje, maar een gezicht dat intelligentie uitstraalt, waaraan je kunt zien dat ze bekwaam en volhardend is, en zich schikt in wat het leven haar toebedeelt, vermengd met een zweem verhulde sensualiteit. Het gezicht van een goede echtgenote en moeder. Claudette Colbert had zo'n gezicht, en Joan Fontaine en Irene Dunne ook. Maar Ginny is mooier dan zij. Ze weet dat ze er mooi uitziet, maar het is niet belangrijk voor haar. IJdelheid is niet van toepassing op haar leven.

Ze heeft nooit iets laten rechttrekken of botoxen. 'Ik ben alleen ijdel waar het mijn haar en mijn nagels betreft,' zegt ze, en dat betekent dat ze die laat doen als ze er tijd voor heeft. Jezelf iets gunnen is een onderwerp dat tegenwoordig alleen maar bij ons opkomt omdat er geen sprake van kan zijn. Vóór de dood van Amy was 'Waar gaan we vandaag lunchen?' de belangrijkste vraag van de dag. 'Onze vrienden kunnen keuzes maken,' zegt ze, 'maar welke keuze heb ik?' Ze stelt die vraag met enige tevredenheid, ondanks de vreselijke gebeurtenis die de aanleiding ertoe heeft gevormd.

'Ik denk dat mijn hele leven tot dit moment heeft geleid,' zegt ze tegen me. 'Toen Carl werd geboren, merkte ik dat het moederschap ervoor zorgde dat ik mijn draai vond. Dat is wat ik het liefste doe. Ik weet wie ik ben.' Ze neemt haar beslissingen als moeder zonder aarzeling, als een atleet. Wanneer Bubbies straks naar school gaat, zal ze hem elke dag zelf gaan brengen en die taak niet aan Ligaya overlaten, want hoewel ze niet twijfelt aan Ligaya's vaardigheden, weet ze dat zij van nu af aan voor Bubbies, Jessie en Sammy het dichtste in de buurt van een moeder komt. 'Ik ben blij dat ik dit mag doen,' zegt ze. 'En het zou ons nooit zijn gelukt als we niet voor de dood van Amy al zo vaak hier waren geweest.'

Ze heeft haar eigen uitlaatkleppen. Ze schrijft af en toe gedichten en fotografeert. Ze heeft samen met Meredith Brokaw een leesclubje opgericht, waarvan zo'n twintig bijzondere vrouwen lid zijn die na de dood van Amy allemaal voortdurend contact hebben gehouden. Tijdens een surpriseparty ter ere van Ginny's verjaardag proostten ze op amusante, ontroerende wijze op haar, als een soort eerbetoon aan haar onzelfzuchtigheid. Ze zijn en blijven graag met haar bevriend omdat Ginny, net als Amy, goed kan luisteren. Als iemand haar iets vertelt, positief of negatief, dan zal ze dat nooit proberen te overtreffen met een eigen verhaal, maar zal ze altijd haar aandacht schenken aan degene die daarom vraagt. Ik heb altijd gedacht dat onzelfzuchtigheid iets is wat je moet leren, maar bij Ginny lijkt het aangeboren. En nu ze verdriet heeft, heeft ze haar plaats gevonden. 'Ik leid nu het leven van Amy,' zegt ze, wanhopig, maar ook getroost. Na zesenveertig jaar huwelijk leer ik door de allerpijnlijkste reden die je kunt bedenken mijn vrouw nog beter kennen.

Terug in Quogue tref ik Kevin Stakey, de aannemer die Ginny en ik hadden ingehuurd om de garage tot een speelhuis voor de kleinkinderen te verbouwen. We wilden hun een plek geven waar ze konden doen wat ze wilden: schilderen, met klei knoeien, met autootjes racen, Transformers transformeren en ruziën over kaartspelletjes als Uno en War. De plannen waren al in de nazomer gemaakt, samen met Amy, Harris, Carl, Wendy en John. Na de dood van Amy werd de verbouwing een soort therapie voor me. Ik hoopte dat ze het ermee eens zou zijn. Het was een manier om haar terug te brengen in mijn leven. Omdat ik niet kon begrijpen waarom ze was gestorven, probeerde ik andere dingen minder verwarrend te maken. Ik ruimde kasten vol troep op, sorteerde een chaotische verzameling cd's en maakte een door klimop verstikte hoek van de tuin weer vrij.

Kevin is achter in de veertig en gebouwd als een scheepstros. Hij heeft een groot hoofd met een snor en een baard die dik als een borstel zijn kin bedekt. Hij is kleiner dan ik, ongeveer een meter zeventig, maar wel twee keer zo breed. Bij het handen schudden lijkt de mijne helemaal in die van hem te verdwijnen. Het nieuws over Amy's dood raakte hem, alsof hij haar persoonlijk had gekend. Ik leg uit dat ik vanwege de gewijzigde omstandigheden minder vaak aanwezig zal zijn. Een groot deel van de beslissingen aangaande de speelruimte zal hij zelf moeten nemen.

'Geen probleem,' zegt hij.

'Maar als er iets verkeerd gaat, laat ik het je overdoen.'

'Geen probleem.'

'En blijf van die autogrillebeschermer van de Yankees af,' zeg ik tegen hem. Dat was een kerstcadeau van Harris. Kevin is fan van de Mets en heeft gedreigd de hoes los te maken, zodat de wind die kan meevoeren.

Het werk aan het speelhuis vorderde gestaag, zonder dat ik me er vaak mee hoef te bemoeien. Kevin maakte de oude balken van de oorspronkelijke stal weer zichtbaar, bracht gipsplaten aan en toverde de oude vensters tevoorschijn. Hij heeft de vuile gebarsten cementvloer vervangen door glimmend hout. Toen hij klaar was, zei ik dat het bruin van het hout te veel naar oranje zweemde. 'Kun je daar iets aan doen?'

'Geen probleem,' zei hij.

'Zeg eens, Kevin, stel dat ik je zou vragen het hele speelhuis op zijn kop te zetten, zodat de kinderen door het dak naar binnen moeten, zou je dat dan een probleem vinden?'

'Geen probleem,' zei hij. Hij schuurde de vloer af tot op het kale hout en beitste hem in de donkere kleur waarom ik had gevraagd.

Kort voordat Harris zich met Amy zou verloven werd hij aan de familie in Quogue voorgesteld. Amy had tijdens de middelbare school en de jaren daarna een hele stoet vriendjes versleten, van wie er eentje 'serieus' was: een rustige, joviale sportieve jongeman die uitstekend in onze familie paste. We mochten hem en zijn familie wel en konden ons voorstellen dat een huwelijk tussen Amy en hem een naadloze verlenging van hun zorgeloze kameraadschap zou zijn, maar wanneer ik aan hun toekomst dacht, werd het me ook duidelijk dat het geen huwelijk zou zijn van partners die elkaar zouden steunen in hun ontwikkeling, die elkaar op een stimulerende manier zouden plagen of elkaar zouden wijzen op de leuke, gekke en tragische verrassingen die deze wereld voor ons in petto heeft. Ik heb hen in gedachten nooit als ouders kunnen zien.

Maar zodra Harris een rol ging spelen in Amy's leven, en daarmee ook in dat van ons, zag ik een echtgenoot, een vader en een volwassen man. Carl, John en ik beschouwden hem meteen als 'een van ons', maar hij had meer te bieden, als een geheime ziel. Bijzondere mensen zijn soms wat zonderling. Harris leek de scherpe randjes van zijn bijzondere eigenschappen te hebben bijgeschaafd, alsof hij wilde voorkomen dat hij anderen zou beledigen of zelf een buitenbeentje zou worden. Soms herken ik dat ook in Sammy, wanneer hij probeert een middenweg te vinden tussen zijn eigen zwijgen en zijn plezier. Toen Harris in ons leven kwam, bracht hij niet zozeer een perfect passend stukje van de puzzel mee, maar vormde hij eerder een excentrieke uitbreiding van het grotere geheel. Ongeveer een jaar later deed Wendy hetzelfde.

Dat kon allemaal echter niet verhinderen dat we Harris hebben ontgroend. We dwongen hem mee te doen met ons niet-echt-fanatieke-maar-toch-ruwe potje basketbal, twee tegen twee, waarin hij zowel qua ruwheid als gebrek aan fanatisme zijn mannetje stond. Daarna volgde de hamvraag. Carl was een fervent fan van Patrick Ewing, de boomlange center van de New York Knicks, en had zijn gele labrador dan ook Ewing genoemd. Ik mocht de hond wel, maar was van mening dat de mens Ewing, die de bal alleen uit wanhoop of nalatigheid naar zijn teamgenoten speelde, de voornaamste reden was dat de Knicks nooit kampioen werden. Zonder Harris vooraf iets over onze botsende meningen te vertellen vroegen we hem wat hij van Patrick Ewing vond. Hij keek ons een voor een aan en zei tegen mij: 'Verschrikkelijk.' Tegen Carl zei hij: 'Superster.'

Op een avond in de zomer van 2007 stond Harris met Sammy en Jessie voor de deur in Quogue. Amy had wat meer tijd nodig om Bubs uit de auto te tillen. De twee oudere kinderen stoven naar binnen en Ginny en ik zakten door onze knieën en begroetten hen met knuffels en kreten. Ik besefte te laat dat Harris er ook bij stond en keek naar hem op. 'Het geeft niet,' zei hij.

Harris houdt alles in de hand: zijn emoties, zijn huishouden, zijn werk en zijn kinderen, simpelweg omdat hij dat moet. Maar soms is te zien hoeveel moeite het hem kost. Op een dag viel er een glas stuk op de vloer. Ik begon de grote scherven op te rapen, zodat de kleine gemakkelijker op te zuigen zouden zijn, maar hij schreeuwde dat ik de keuken uit moest, zodat hij zelf de vloer kon zuigen. Hij schreeuwt nooit. Misschien was de handchirurg in hem bang dat ik mezelf zou verwonden, maar het leek eerder alsof hij tijdens die kleine crisis even zijn gezag wilde laten gelden – niet uit gebrek aan zelfvertrouwen, maar eerder als een manier om grip op zijn leven te houden.

Hoewel Harris zijn gezag nooit actief laat gelden, is de aanwezigheid van een andere man in zijn huis, die gewend is de dingen op zijn eigen manier te doen, daar toch een bedreiging voor. Ik wil niet nog meer druk op hem uitoefenen, en al zou ik de behoefte voelen een duit in het zakje te doen, dan zou daar niet veel reden toe zijn, omdat hij met vrijwel elke tegenslag om weet te gaan. Alleen in de eerste week na Amy's dood steunde hij op mij en liet hij mij de uitvaart regelen. Daarna zag je bijna letterlijk dat hij zich wapende en zijn schouders eronder zette. Hij is altijd stevig geweest, maar nooit dik, en in de afgelopen maanden is hij tien kilo afgevallen. Hij drinkt 's ochtends minder koffie. Tot mijn spijt eet hij geen geroosterd brood meer.

Zoals bij ons allemaal worden al zijn bezigheden omlijst door verdriet. Harris toont zijn gevoelens door heel stil te worden, alsof hij een deur sluit. Ik zeg tegen hem dat ik best wil praten als hij daar behoefte aan heeft. Hij waardeert het aanbod, maar antwoordt: 'Wat valt er te zeggen?' En daar zit wat in, maar het klopt niet helemaal. Catherine Andrews, de psychotherapeut van de kinderen, behandelt ook rouwende volwassenen. Ik gok erop dat Harris vroeg of laat ook een afspraak met haar gaat maken, al zal het eerder laat dan vroeg zijn.

Misschien zou ik ook naar Catherine moeten gaan.

Mijn gemoedstoestand wordt immers ook bepaald door woede en een gevoel van leegte, zeker wanneer ik alleen in het huis in Quogue zit, ver van Ginny en de kleinkinderen. Iets houdt me echter tegen, en dat is het feit dat Amy, en ons, iets is overkomen wat niet zomaar een psychologisch probleem is, maar echt is. Het monster is echt. En hoewel Ginny en ik kunnen leren hoe we ons iets beter kunnen voelen, zullen we nooit meer helemaal de oude worden. Daar kan geen analyse of therapie iets aan veranderen. Ik denk dat Harris dat ook wel weet. Hij is eraan gewend alleen te zijn, maar had nooit kunnen denken dat eenzaamheid zo hevig kon zijn. Het gevoel kwetst en verwart hem. Hij komt nu wellicht over als een raadsel omdat hij inziet dat zijn leven hem, net als Ginny's leven dat met haar heeft gedaan, heeft voorbereid op een bestaan zonder zijn voornaamste bron van geluk, waardoor hij ook voor zichzelf een raadsel wordt.

Op een zeldzaam rustig moment op een namiddag in maart zit ik beneden op de groene bank in de speelhoek *De toevallige toerist* van Anne Tyler te herlezen. Het is een uur of half vijf en het begint net te schemeren. Jessie komt beneden en vraagt waarom ik zo stil ben. 'Ik zit te lezen,' leg ik haar uit. Ze pakt een van haar eigen boeken van de salontafel, komt naast me zitten en strekt haar lange benen voor zich uit. We blijven zwijgend zitten lezen, anderhalve meter van de plek waar Amy ineenzakte en stierf. Van tijd tot tijd kijk ik op van mijn boek, om daarna weer verder te lezen.

Sammy komt bolderend de trap af en wil weten waar zijn ridderuitrusting ligt. Stomtoevallig zie ik de zilveren broek, het maliënhemd, het schild, het zwaard en de helm met vizier liggen. Sammy trekt de kleren meteen aan, laat zijn vizier zakken en begint voor de bank heen en weer te paraderen.

Jessie laat haar boek vallen en zet een liedje uit *High School Musical 2* op, met de volumeknop helemaal open. Ze danst voor de bank heen en weer, terwijl heer Sammy in het rond marcheert. Bubbies komt de trap af, op de voet gevolgd door Ligaya. Ook hij danst.

Bubbies raakt steeds meer op mij gesteld. Ik sta van alle volwassenen in dit huishouden met afstand op een vierde plaats waar het zijn affectie betreft, na Harris, Ginny en Ligaya, en hij blijft me als een amateur-entertainer zien. Toch ontdekt hij stukje bij beetje dat ik, naast het roosteren van brood, ook ander praktisch nut heb, en zolang ik mijn plaats ken en de paar taken waartoe ik in staat ben naar behoren uitvoer, is alles in orde.

Ik ben dol op zijn stem. Hij spreekt zoals Paul Newman volgens mij als klein kind moet hebben geklonken – ietwat schor en raspend – en alles wat hij zegt, klinkt even dwingend. Zelfs zijn vragen klinken dwingend. Hij heeft ook een goed gehoor en spreekt alle lettergrepen van langere woorden, zoals 'chocolade', helemaal uit. Vaak klinkt hij als een Zuid-Europeaan die een vreemde taal leert: 'sjoo-koo-laa-duh', met op elke lettergreep evenveel nadruk. Zijn zuster noemt hij 'Jes-sie-kaa'. Ik zeg tegen hem: 'Jessica deelt haar water met jou. Wat zeg je dan, Bubs?' En hij zegt dan: 'Dank je wel, Jes-sie-kaa.'

Ginny vindt het maar niets als ik met hem ravot, maar dat heb ik ook gedaan met Carl, Amy en John. We spelen 'onderstebovenbaby', en dat gaat precies zoals het klinkt: ik houd hem boven het bed aan zijn enkels ondersteboven en zwaai hem heen en weer. We spelen ook 'vliegende baby': daarbij lig ik met gestrekte benen op mijn rug op het bed en laat hem boven op mijn voetzolen balanceren. En als ik hem even snel kietel, noem ik dat 'hem laten piepen'. Dit wordt allemaal met evenveel plezier begroet, tenzij hij belangrijkere dingen te doen heeft, zoals op de bank klimmen en er dan vanaf springen, of de vloer 'schoonmaken' met een stuk slang van de stofzuiger. Wanneer ik hem tijdens zo'n missie wil vastpakken om hem te laten piepen, protesteert hij: 'Niet doen, Boppo!' alsof hij me eraan wil herinneren dat hij geen stuk speelgoed is. Wanneer ik me gedraag en er geen beter alternatief is, wil hij wel bij me op mijn schoot klauteren en mijn gezicht tussen zijn handjes nemen.

Hier is een boek voor Bubs. *De bonten beestjes* van Margaret Wise Brown. De tekeningen van Garth Williams zijn doezelig, in zachte, gedempte kleuren. Die soberheid wekt alles tot leven: het boomhuis waar de bonten beestjes wonen, met de gordijntjes voor de ramen, de groene luiken en de rode deur met zijn eigen groene afdakje; het nabije beekje met de kalme vissen; en de bonten beestjes zelf, die lijken op beertjes met een vleugje egel. Bubbies kijkt aandachtig naar de plaatjes terwijl ik het fragment voorlees over de bonten jongen die zo hard moet niezen dat zijn opa, die in een holle stronk woont, er wakker van wordt. De opa kruipt naar buiten; hij ziet er slordig uit, met een verdwaasde blik in zijn ogen en een ongekamde grijze vacht. Bubbies kijkt eerst naar de tekening en dan naar mij.

De opa komt naar buiten en zegt: 'Gezondheid, mijn kleinzoon, voor elke keer dat je niest... Hatsjoe!' Het bonten kindje bedankt hem en loopt verder 'door de donkere en zonnige bossen'. Bubbies houdt erg van het begin van het boek: 'Er was eens een familie van bonten beestjes, even warm als geroosterde broodjes.'

Het woord van de ochtend is 'rekening'. Ik heb het uitgekozen omdat Jessie en Sammy elkaar de laatste tijd constant in de haren vliegen. Ze kunnen het niet hebben als de een de ander onderbreekt. Wanneer een volwassene ingrijpt en in het voordeel van de een beslist, roept de ander: 'Het is niet eerlijk!' Ik wil dat ze nadenken over 'rekening' en 'rekening met iemand houden'. Tijdens het ontbijt verbind ik de woorden op de Post-it met elkaar. 'Letterlijk is een rekening iets wat je kunt betalen, maar kennen jullie ook de figuurlijke betekenis? Als in "rekening met iemand houden"?' vraag ik. Ze geven geen antwoord. Ik hou vol. 'Wat betekent dat, "rekening houden met een ander"?' Niets. 'Wat doe je als je rekening met iemand houdt?' Sammy vraagt: 'Boppo, mogen we van tafel?'

Ginny en ik proberen ons door de enorme stapel post heen te werken – tot nu toe hebben we meer dan achthonderd brieven ontvangen. Harris, Carl, Wendy en John hebben er ook nog eens vierhonderd gekregen, e-mails niet meegerekend. De condoleances blijven maar binnenstromen: van vrienden, van mijn huidige en vroegere studenten, van vrienden van Amy van de middelbare school en haar studie, van vrienden van vrienden van Amy en Harris, van collega's en patiënten. Kate en Jim Lehrer, vrienden die we al ons hele leven kennen en die na de begrafenis hun huis beschikbaar stelden om de gasten te ontvangen, zijn ons blijven bijstaan en hebben ons een tip gegeven voor een adresje waar we bedankjes kunnen laten drukken. Ik heb bijna drieëntwintig jaar onder leiding van Jim bij *The NewsHour* gewerkt en weet niet beter of hij en Kate zullen anderen altijd helpen. Op elk vrij moment krabbelen Ginny en ik bedankjes op de kaarten. Het voelt alsof we terugkijken op de geschiedenis van al onze vriendschappen en al die mensen een voor een weer begroeten. Onze oudste vrienden, Peter en Judy Weissman, hebben vier of vijf weekenden samen met ons doorgebracht. Peter is endocrinoloog en heeft Amy bijles organische chemie gegeven toen ze zich voorbereidde op haar toelatingsexamen. Ook andere vrienden kwamen een weekend langs, onder wie het gezin Hale; hun zoons Dylan en Ryan kunnen het erg goed vinden met Sammy en Jessie. Op de dag dat Amy stierf, kwamen Liz en James meteen vanuit New York gevlogen. Ze waren er nog eerder dan wij en zelfs nog eerder dan Carl en Wendy.

Mijn broer Peter kwam per trein uit New York. Ginny's moeder Betty had ook graag willen komen, maar haar gezondheid stond het niet toe. Ginny's broers Lee en Ricky kwamen; Lee bracht zijn vrouw Nancy en hun twee volwassen kinderen Lee en Sarah mee. Al die ingetogen, goede lieden kwamen ons steunen en waren zelf ook verbijsterd en verslagen. Sarah had voor Jessie haar eerste Webkin gekocht, een pluchen knuffelbeestje dat bij een interactief computerspel hoort. Dee, Howard en Beth, en Rose en Bob kwamen vaak langs en hielpen ons met de kinderen. De ene goede daad volgde op de andere. Ginny's vriendinnen Robyn Newmyer en Kay Allaire haalden haar auto op uit Quogue en brachten hem naar Bethesda, zodat Ginny ook daar vervoer had. Vrienden belden vaak en stuurden boeken en speelgoed voor de kinderen. Een dag na de dood van Amy kwam Jessies juf Coleen Carone langs en ging met Sammy, Jessie en nog een stuk of zeven, acht andere kinderen in een kring zitten. Ze maakten een boeket van papieren bloemen voor Amy. Toen ik een paar jaar geleden een boek schreef dat *Rules for Aging* heet, nam ik daarin de regel op dat niemand aan je zal denken. Ik had het weer eens mis.

Omdat Amy altijd al haar onverdeelde aandacht schonk aan iedereen die ze leerde kennen, had ze altijd snel vrienden gemaakt: buurtgenoten die ze tegenkwam wanneer ze met de kinderen aan het wandelen was; de verpleegkundigen in de jeugdgevangenis waar ze een dag in de week werkte; Captain Ehab, de monteur die haar auto onderhield; medewerkers van het ziekenhuis; de politieagente die tegenover haar woonde; de verkoopster van de afdeling Kinderschoenen in warenhuis Nordstrom's; de man van de ongediertebestrijding. Al die mensen persten zich tijdens de uitvaart in de zaal, waarvan de deuren open bleven staan, zodat de degenen die buiten moesten blijven omdat er binnen geen plaats meer was de dienst in elk geval konden horen. Buiten stonden wel honderd mensen op de stenen trappen in de kou te kleumen. Er waren vrienden en collega's van mij van Stony Brook. Er waren vrienden en vroegere collega's van Harvard en

The New Republic, *The Washington Post*, *Time* en *The NewsHour*, waar ik vanaf de jaren zeventig tot in de jaren negentig heb gewerkt. Er kwamen vrienden van de familie uit Texas, Ohio, Californië, Mexico, New York, Massachusetts, Virginia, Pennsylvania, Florida en Kentucky. Eén oude vriend vloog vanuit Oslo naar ons toe. Erik Kolbell, een vriend van de familie die voorganger bij de congregationalisten was, leidde de uitvaartdienst en sprak tot de meer dan vijfhonderd aanwezigen: 'Uit het schijnsel dat we nu op elkanders leven werpen, blijkt wel dat Amy's licht niet kan worden gedoofd.' John keek om zich heen en zei: 'Ik wist niet dat we zo veel vrienden hadden.' Ik antwoordde: 'Ik ook niet.'

Oude vriendschappen wordt nieuw leven ingeblazen, misverstanden worden bijgelegd, nieuwe vrienden worden gemaakt. Ik neem contact op met Anthony Grieco, decaan op de NYU School of Medicine. Hij staat aan het hoofd van de afdeling voor alumni en beheert het studiefonds dat in naam van Amy Solomon-Rosenblatt is gesticht. Ik heb vernomen dat er door de meer dan tweehonderdvijftig donateurs een aanzienlijk bedrag bijeen is gebracht. Hij vertelt me dat het geld zal worden besteed aan beurzen voor studenten die dergelijke steun het hardst nodig hebben. Daar zou Amy het mee eens zijn geweest. Ik zeg tegen hem dat we zijn aandacht en die van de universiteit heel erg kunnen waarderen. Grieco doceert zelf geneeskunde en kan zich Amy nog goed als student herinneren. 'Er gaat geen dag voorbij waarop ik niet aan haar denk,' zegt hij.

In zijn toespraak tijdens de uitvaart merkte Carl op dat er vaak wordt gezegd dat de doden naar een betere plek gaan. Hij weigerde te geloven dat dat ook voor Amy gold. 'De beste plek voor jou,' sprak hij, met een blik op de kist, 'is hier op aarde.' Hij was zijn toespraak begonnen met de mededeling dat hij Amy tegen hem kon horen zeggen dat hij dit niet moest verknallen.

De week van de uitvaart was zwaar geweest, maar niet zonder afleidingen. Bij de uitvaartondernemer werden we begroet door een levendige vrouw die ons vroeg of ze, bij wijze van een extra dienstverlening, onze auto konden wassen. Op de begraafplaats kregen we een rondleiding van een vrouw met felrood haar die zich van haar taak kweet alsof het onroerend goed betrof en ons op alle belangrijke bijzonderheden wees, zoals de grafsteen van een rockster die zelfmoord had gepleegd en het graf van degene die de inspiratie voor Kermit de Kikker had gevormd, of wellicht Kermit zelf – dat bleef een beetje in het midden. De afgelegen plek die we ten slotte uitkozen, bleek midden in het Joodse gedeelte van de begraafplaats te liggen. Dat betekende, zo meldde de vrouw ons, dat die graven waren voorbehouden aan hen die 'Joods bloed' hadden. Ik verzekerde haar ervan dat het me daar zeker niet aan ontbrak en hoorde John tegen Carl zeggen: 'Het is niet de vraag óf pap uit zijn vel springt, maar wanneer.' Net toen het erop leek dat John gelijk zou krijgen, vertelde de vrouw ons dat ook zij een kind had verloren.

Ik weet niet of een gelovige de dood gemakkelijker kan aanvaarden dankzij de vaststaande, mogelijk troostende rituelen rondom een overlijden. Ginny en ik zijn het geloof altijd uit de weg gegaan en hebben onze kinderen niet religieus opgevoed. Zij is van huis uit episcopaals. We zijn getrouwd in een unitarische kerk in New York. Toen we die kerk voor het eerst bezochten om te kijken of de plek iets voor ons was, waren ze net een kerkbank aan een kat aan het wijden, dus dat zat wel snor. Hoewel Wendy van huis uit katholiek is, speelt religie bij haar en Carl thuis evenmin een rol, net zomin als dat bij Amy en Harris het geval was. Op de dag voor de uitvaart hebben we iets gehouden wat je een wake zou kunnen noemen, en toen we thuis vrienden ontvingen, was het alsof we sjivve zaten. Maar dat waren dingen die gewoon als vanzelfsprekend gebeurden, en God was niet bij ons.

Ik grijp blindelings naar een pen om een bedankje voor een condoleancebrief te schrijven. Ik druk op het knopje aan het uiteinde van de pen en hoor een blikkerig stemmetje '*Nobody's perfect. I gotta work it*' zingen. Vanaf het inktreservoir van de paarsroze balpen lacht het onontkoombare gezicht van Hannah Montana me toe. Ik ga een andere pen pakken.

Er zijn maar weinig dingen die Jessie en Sammy blijer maken dan verhaaltjes over hoe Amy als klein meisje was. Ze willen graag weten hoe het Amy als tiener is vergaan in New York, de stad waar we in de jaren tachtig en een deel van de jaren negentig hebben gewoond. Op de middelbare school kon ze heel erg hard rennen en wist ze Carl en John te verslaan zonder zelfs maar buiten adem te raken. En ze kon een stootje hebben. Na het eten vroegen haar broers haar steevast voor een spelletje dat ze ondubbelzinnig 'Amy tackelen' noemden, en uit het feit dat ze zo gemakkelijk ja zei, blijkt wel dat ze geen hoge dunk van hen had. De kinderen willen vooral van alles weten over hun moeder uit de tijd dat die hun leeftijd had. Hoe ontzettend schattig ze wel niet was. Toen Amy vier werd, raakte Carl zo van streek door al die aandacht die zijn in feestjurk gehulde zusje kreeg dat hij uit zichzelf in de vuilnisbak sprong.

Amy over honkbal. Ze werd fan van de Kansas City Royals. 'Ik vind het een mooie naam,' zei ze. 'De Royals?' vroeg ik. 'Kansas City,' zei ze. Amy voor de tv. Op een avond zag ik haar uiterst geboeid naar *De Bionische Vrouw* kijken, die over de ene muur sprong en dwars door een andere rende. 'Amy,' zei ik een keer of drie, vier, voordat ze zich naar me omdraaide. 'Amy, hoe doet ze dat eigenlijk?' De vijfjarige verwaardigde zich me een uitleg te geven: 'O, ze is bionisch.' Amy in gevaar. Toen ze acht of negen maanden oud was en net leerde lopen, had Carl de gewoonte haar met zijn driewielertje aan te vallen. Haar misdaad was haar bestaan. Hij kondigde, mogelijk vanuit een zeker gevoel voor fairplay, zijn bliksemactie van tevoren aan door een uiterst vals deuntje te zingen: 'Amy heeft een auto en rijdt ermee naar huis. De auto die gaat stuk, en Carl rijdt haar...' Tijdens het zingen denderde hij op zijn zusje af, en zodra Ginny en ik hoorden dat hij het lied inzette, stoven we naar buiten om haar op te tillen, meestal nog voordat de driewieler bij haar in de buurt was.

Amy die een radslag maakt, haar favoriete manier van voortbewegen. Op Logan Airport heeft ze een keer door de hele hal heen alleen maar radslagen gemaakt, terwijl ik drie zware koffers achter haar aan zeulde. Amy als kleuter op de Sidwell Friends School in Washington, waar we in de jaren zeventig woonden. Carl zat op dezelfde school en Ginny gaf er les aan de laagste klassen van de basisschool. Telkens wanneer Amy haar moeder met een ander kind op schoot zag zitten, kwam ze heel bedaard aangelopen en plantte haar elleboog tussen haar moeders ribben om haar eraan te herinneren waar haar prioriteiten zouden moeten liggen. Amy en de 'de zaak van het buitengewoon vreemde konijn'. Voor haar vijfde verjaardag gaven we haar, met enige tegenzin, een konijntje dat ons weliswaar als 'dwergkonijn' was verkocht, maar dat bleef groeien, totdat het door zijn kolossale afmetingen bijna uit zijn aanzienlijke hok barstte. Hij kon je vanachter het gaas met zijn rode oogjes aanstaren. Hij was verder spierwit. Amy noemde hem 'Rozijntje'. Amy en Carl die allebei willen winnen. Amy en Carl die samenzweren. Toen Carl tien en Amy zeven was, verrasten ze Ginny op Moederdag met een ontbijt op bed. Ze hadden roereieren gebakken, maar waren vergeten boter in de pan te doen, waardoor het gerecht het aanzien en de consistentie van het vel van een gordeldier had gekregen. Ginny at alles lachend en langzaam kauwend op.

Boppo die met de vier jaar oude Amy ging winkelen, op zoek naar een groen jurkje van Lacoste. (Amy vond het enig toen ik Jessie op een vergelijkbaar uitje meenam.) Boppo die met Amy, nog steeds vier, uit eten ging in een restaurant, met ons tweetjes. Ze droeg een blauw-wit geruit jurkje en halfopen zwarte schoentjes, haar haar was in een pony geknipt. We gingen naar Billy Martin's in Georgetown. De hoofdkelner schoof Amy's stoel aan. We gingen zitten en babbelden een paar minuten met elkaar. Toen zei ze dat ze naar de 'Dames' moest. Ze kwam terug aan tafel, maar ging in de loop van de maaltijd om de paar minuten terug naar het toilet. Niet omdat ze zo nodig moest, maar dat was nu eenmaal wat echte dames deden.

Een van Jessies lievelingsverhalen gaat over Amy

toen ze drie was en we in Dunster House woonden, een van de accommodaties op de campus van Harvard. Op een zaterdagochtend, voordat ik zou vertrekken naar een vergadering van het comité dat besloot wie er in aanmerking kwamen voor een studiebeurs voor Cambridge in Engeland, vertelde ik de kinderen tijdens het ontbijt dat het een heel erg oude beurs was – ik denk dat ik die als een soort prijs omschreef – misschien wel ouder dan ons land, en dat de jongens die hem wisten te verdienen wel heel bijzonder waren. Amy, drie jaar oud, reageerde uiterst verontwaardigd: 'En de meisjes dan?'

Het kostte me geen moeite om Amy bij het hardlopen te verslaan. We gingen van start op een vierhonderdmeterbaan, en zodra ze was weggestoven en me in het stof dreigde te laten bijten, jogde ik een meter of twintig over de baan, stak vervolgens dwars door het midden de baan over en bleef bij de finish staan wachten totdat ze met een verongelijkt gezicht kwam aangerend. Geen kunst aan.

Toen Wendy in verwachting was van Andrew organiseerde Ginny een babyshower voor haar. Ze vroeg aan

Amy en de andere vrouwen die waren uitgenodigd of ze iets op papier wilden zetten over een dierbaar moment uit hun kindertijd. Ginny verzamelde al die herinneringen en maakte er een boekje voor Wendy van. Amy schreef: 'Een van de leukste herinneringen uit mijn kindertijd betreft uit eten gaan met mijn vader. Dan dofte ik me helemaal op en liepen we samen naar Billy Martin's in Georgetown. Ik vond het geweldig om zo volwassen te kunnen doen. En ik vond het heerlijk om iets samen met mijn vader te doen. Maar het mooiste was natuurlijk dat Carl thuis moest blijven.'

'Ginny is perfect, vind je niet?' zei een van onze vrienden toen hij zag dat ze Bubbies verschoonde, tegen Jessie zei dat die haar huiswerk moest maken en ondertussen ook nog eens heel doeltreffend een 'Ik-wil-deze-jas-niet-aan'-crisis met Sammy de kop indrukte. 'Niemand is perfect,' zeg ik, en ik vertel hem een verhaal waaruit blijkt wat Hannah Montana en ik bedoelen. We woonden in Cambridge. Carl was vijf, Amy was twee. Het was de avond voor Pasen, en de paashaas stond op het punt zijn nachtelijke bezoek te brengen. Carl maakte zich erg ongerust over het meer dan levensgrote zoogdier dat weldra met eieren rond het huis zou sluipen. Toen Ginny en ik om elf uur naar bed gingen, kwam Carl zijn kamer uit en vroeg: 'Is de paashaas er al?' Nee, antwoordden we. Hij liep terug zijn kamer in. Rond één uur dook hij op naast ons bed. 'Is de paashaas er al?' Weer zeiden we nee. 'Ga maar weer naar bed,' zei Ginny, 'dan kun je morgenochtend naar eieren zoeken.' Om twee uur stond Carl opnieuw naast ons bed, nog steeds even bezorgd. Ik vermoed dat hij geen oog had dichtgedaan. Om drie uur hetzelfde liedje. Om vier uur maakte hij ons weer wakker, en voordat hij zijn vraag had kunnen stellen, schoot Ginny overeind in bed en riep: 'Die godvergeten klotepaashaas bestaat helemaal niet!' In plaats van dat Carl schrok omdat zijn moeder woorden had geuit die ze waarschijnlijk nog nooit eerder had gezegd, verscheen er een gerustgestelde uitdrukking op zijn gezicht. Uiterst opgelucht keerde hij terug naar zijn kamer.

Er is een verhaal over Amy dat ik Jessie en Sammy niet vertel, en dat speelt zich af in de tijd dat we van Cambridge naar Washington verhuisden. We hadden Amy en Carl op meerdere scholen aangemeld, waaronder een vrij bekakte school die we eigenlijk niet zagen zitten, maar we moesten nu eenmaal alle opties openhouden. In de taxi op weg naar die school, waar de kinderen op gesprek moesten komen, ontdekten we dat we Nanny, het knuffeldekentje van Amy, in het hotel hadden laten liggen. Even later kwam Amy er ook achter. Hoewel Nanny inmiddels door slijtage was geslonken tot het formaat van een doosje lucifers, had het nog niets aan bovennatuurlijke krachten ingeboet. 'Waar is Nanny?' vroeg Amy. Ze was drieënhalf. Ik zei tegen haar dat we Nanny waren vergeten, maar dat er geen reden was tot paniek. We zouden alleen even met de mensen van de school gaan praten en daarna weer zo snel als we konden naar Nanny teruggaan. Ze nam dit nieuws over onze nalatigheid niet bepaald goed op, omdat juist het hele doel van Nanny was situaties als deze minder eng te maken. Toen we op de school aankwamen, waar Carl in de tweede zou kunnen komen en Amy op de kleuterschool kon worden toegelaten, verscheen er een vrouw wier houding de reputatie van de school bevestigde. Ze nam de knorrige Amy met zich mee. Na afloop van het gesprek was Amy nog knorriger, en het kostte haar moeite om haar armen in de mouwen van haar groene jasje te steken. Op weg naar buiten, nog steeds worstelend met haar jasje, liep ze stampvoetend voor ons uit en mompelde duidelijk hoorbaar ‘Shit! Shit! Shit!’ – woorden die ze ongetwijfeld van haar moeder had opgepikt. De school nam Carl aan.

In het voorjaar geef ik slechts één college, een workshop novelles schrijven, en dus rijd ik op zondag naar Long Island, geef op maandag les en rijd op maandagavond of dinsdag weer terug. De heenreis van Bethesda naar Quogue lijkt langer dan de terugreis. Ik verdeel de rit in gedachten in stukken, in de hoop dat de tijd dan sneller zal gaan. De eerste en langste etappe is die van Bethesda naar de New Jersey Turnpike, door Maryland en Delaware, en duurt, als ik niet staande word gehouden, doorgaans een uur en vijfendertig minuten. Van het zuidelijke einde van de Turnpike tot de Verrazano Bridge is het zo’n anderhalf uur, de Belt Parkway in Brooklyn duurt vijfentwintig minuten, en de Southern State Parkway voert me nog eens vijfendertig minuten lang verder in oostelijke richting over Long Island. De laatste etappe, bestaande uit de Sunrise Highway en de binnenweggetjes naar Quogue, neemt ongeveer veertig minuten in beslag. Als het ene radiostation wegvalt, kies ik het volgende; ik heb voor elke etappe van de reis een zender geprogrammeerd.

Klassiek tot aan de Turnpike. Jazz in New Jersey, tot in Brooklyn. Weer klassiek voor het grootste deel van de rest van de rit, en in het laatste kwartier luister ik naar rock. Onderweg leer ik het een en ander over klassieke muziek. Ik heb niet zo op Telemann, maar Haydn en Händel heb ik hoog zitten. Emotioneel gezien kan ik bijna alles hebben, behalve Rachmaninov, en zeker niet zijn tweede symfonie.

Ik bel handsfree met Carl en John; met mijn broer Peter; met Pete Weissman; met mijn oude vriendin en assistente, kunstenares Jane Freeman; en met Bob Reeves, mijn vriend en collega van Stony Brook – gesprekken waarmee ik de tijd sneller hoop te laten gaan. Ik meld me bij Ginny, die zich weer bij mij meldt. Ik probeer alert te zijn op de risico's van lange ritten, maar soms zak ik even weg. Als ik slaperig word, ga ik aan de kant staan om een paar minuten een uiltje te knappen, maar dat gebeurt zelden. Toen Shirley Kenny, de rector van Stony Brook, hoorde hoe ver ik moest rijden, schreef ze me een brief waarin ze waarschuwde dat ik mijn gedachten onderweg niet te veel moest laten afdwalen. Tien jaar geleden hebben zij en haar man Bob hun zoon Joel van zevenendertig aan leukemie verloren. De brief waarin ze over de praktische kanten van rouw vertelde, arriveerde precies een week nadat ik door rood was gereden. Voor de eerste keer in mijn leven.

Ik probeer het aantal pauzes onderweg tot twee te beperken: een bij de eerste afrit van de Turnpike, waar ik bij Starbucks een grote koffie en een muffin met blauwe bessen bestel, en de tweede bij afrit 11, waar ik ga tanken. Wanneer de Turnpike zich splitst, neem ik steevast de rijbaan voor personenauto's en vrachtwagens in plaats van de baan voor uitsluitend personenauto's. Aangezien ik de rit op zondag maak, is er weinig vrachtverkeer en schiet het lekker op. Het wisselen van rijbanen is routine geworden. Wanneer ik eindelijk in Quogue onze straat in sla, ben ik altijd verbaasd ons huis te zien. Ik rijd de oprit op. Ik ga naar binnen en doe bijna alle lampen aan.

Carl belt me bijna iedere morgen op weg naar zijn werk met zijn mobieltje. Ik bel hem later op de dag, en ik praat ook met John. Carl en John praten met elkaar, en met Ginny. Vóór de dood van Amy spraken de familieleden elkaar ook al regelmatig, maar sindsdien is het aantal gesprekken alleen maar toegenomen. We lijken ons ervan te willen verzekeren dat het met de anderen goed gaat. Ik heb de rol van de piekeraar op me genomen, hoewel dat niets voor mij is. Voorheen maakte ik me nooit ergens zorgen over, tenzij er echt een reden voor was. Nu krijg ik soms al de zenuwen vanwege de kleinste, onbeduidendste dingen die onze familie betreffen. Ik maak me zorgen omdat er iemand op reis gaat. Ik maak me zorgen over Ginny die met de auto door Bethesda rijdt. Ik maak me zorgen over een van de kinderen of kleinkinderen die verkouden is. Ik maak me zorgen over John die 's nachts door New York loopt. Ginny hoeft het alleen maar over pijn in haar rechterknie te hebben of ik maak me al zorgen.

Op mijn aanraden heeft John een afspraak voor een CT-scan gemaakt, zodat kan worden vastgesteld of hij aan dezelfde hartafwijking lijdt als Amy. Carl heeft hetzelfde gedaan. De kans dat een van hen enig risico liep was minimaal, maar als dat wel zo was geweest, hadden de cardiologen maatregelen kunnen nemen. Omdat John ons jongste kind is, en alleenstaand, maak ik me over hem doorgaans de meeste zorgen, al probeer ik dat niet te laten merken. Hoe meer ik mijn best doe niets te laten merken, hoe meer hij het merkt. Hij verdraagt mijn nerveuze gepieker met de nodige humor. Ik vraag hem of hij wil dat ik hem vergezel tijdens zijn afspraak met de radioloog. 'Alleen als je speelgoed voor me koopt,' zegt hij.

Tijdens de hele winter en lente is er amper een moment waarop we niet spelen, zorgen, onderwijzen, kinderen heen en weer rijden en, om negen uur 's avonds, ons bed opzoeken. Jessie moet naar voetbaltraining; Sammy heeft een feestje; Jess en Sammy moeten naar tennis; Sammy gaat bij een vriendje spelen; Jessie heeft Spaans; Bubbies heeft 'gym' (oftewel: de kleintjes scharrelen en uur lang door een grote zaal met een bijzonder glad gewreven vloer en botsen voortdurend tegen elkaar op, zonder enige acht te slaan op de aanwijzingen van een 'trainer'); Jessie begint met pianoles.

Toen we nog in Washington woonden, schreef ik elke week een column voor *The Washington Post*. Een van die columns, met als titel 'Geen logeerpartijtjes', was de aanklacht van een vader tegen de toen gangbare gewoonte om de agenda's van kinderen vol te proppen met cursussen en sociale activiteiten. Naar aanleiding van dat stukje ontving ik meer hatelijke reacties dan naar aanleiding van columns waarin ik me had uitgesproken tegen de doodstraf of had gepleit voor strengere wapenwetten. Het was duidelijk dat ik er zoals gewoonlijk weer niets van had begrepen.

Nu ben ik blij dat de kinderen zo'n volle agenda hebben. Tussen december en juni hebben Sammy en Jessie hun verjaardagen gevierd en zijn ze respectievelijk vijf en zeven geworden, en Bubbies is niet langer veertien, maar twintig maanden oud. Hij veranderde zo snel dat ik aan zo'n tijdssprong uit een film moest denken. In april vierden we de verjaardag van Amy. Toen we de kaarsjes uitbliezen, vroeg Harris aan Sammy wat mama volgens hem zou hebben gewenst. 'Dat ze nog leefde,' zei Sammy.

Hij lijkt nu meer op zijn vader, met een gezicht waarop zelfredzaamheid en onschuld zich met elkaar vermengen. Jessie kan nu de volmaakt ironische glimlach van een volwassen vrouw ten beste geven. Toen Sammy voor zijn verjaardag de lijst met uitnodigingen doornam, waarop iedereen in zijn klas stond vermeld, werd hem gevraagd of hij de pestkop van de klas ook wilde uitnodigen. 'Ja,' zei hij, 'ik wil hem niet aan het huilen maken.' Toen door een vreselijk toeval de moeder van een meisje in Jessies klas plotseling overleed, zei Jessie: 'Ze mag wel bij ons komen wonen.'

Jessie zit in het kleine kamertje aan de piano, met haar rug naar Ginny en mij toe. Boven de piano hangt een poster van akkers vol lavendel in de Provence, de randjes zijn gescheurd. Jessies haar is samengebonden met een knalblauw lint. Ze draagt een zwarte broek en een wit shirt met lange zwarte mouwen met op de voorkant de tekst COLOR ME HAPPY. Elke letter heeft een andere kleur en vorm. Magdalina, haar jonge muzieklerares, zit aan de rechterkant, vlak achter haar, en corrigeert haar tempo. Jessie speelt 'My Robot' en 'Money Can't Buy Everything'. 'Iets sneller,' zegt Magdalina zacht, met een restje van wat een Russisch accent lijkt. We zitten in een van de talloze kamertjes van de International School of Music, die tussen een groepje winkels in Bethesda ligt. Hier leren kinderen hoe ze de viool, de klarinet, de piano en andere instrumenten moeten bespelen. In de lange gang die de oefenruimtes met elkaar verbindt, klinkt het alsof er een bij elkaar geraapt orkest aan het stemmen is.

Magdalina zet tijdens het oefenen vinkjes in Jessies boeken. Ze onderbreekt haar nooit. Als Jessie een verkeerde noot speelt, verbetert ze zichzelf. Als ze langer op een stuk moet oefenen, dan zegt Magdalina dat tegen haar. Jessie zit kaarsrecht. Wanneer ze klaar is met een van haar drie boeken stopt ze dat zorgvuldig terug in een zwart koffertje en pakt het volgende. Ginny en ik kijken naar haar rug en zien haar vingers 'Bravery at Sea' en 'The Happy Seal' spelen.

Op 2 mei, vlak voordat we gaan eten, belt Kevin Stakey. Hij aarzelt even en biedt zijn verontschuldigingen aan. Zijn stem hapert. 'Ik ben je als een vriend gaan beschouwen,' zegt hij.

'Wat is er aan de hand, Kevin?'

'Mijn zoon is overleden.'

Zijn zoon Stephen van achttien, eerstejaars aan Stony Brook, is op de campus in elkaar gezakt tijdens de nepregatta, een voorjaarsritueel waarbij jongerejaars kartonnen bootjes in een vijver laten varen.

'Ze weten nog niet hoe het komt,' zegt hij. 'Iets met zijn hart.'

De volgende dag rijd ik naar de North Fork van Long Island om Kevin en zijn gezin, dat ik nog nooit heb ontmoet, bij te staan. Zijn vrouw Cathy is knap en blond, met een breed, open gezicht en de uitdrukking van iemand die van wanten weet – een volwassen versie van hun veertienjarige dochter Laura. Laura begroet me beleefd, net als Andrew van negen. Cathy blijft me 'meneer Rosenblatt' noemen totdat ik haar dat verbied. We zitten in de fel verlichte en onberispelijke woonkamer van het grijze huis met bovenverdieping dat Kevin zelf heeft gebouwd, en ze vertellen me over Stephen, die zo gemakkelijk met anderen bevriend raakte en met zo veel plezier de grote trom in het universiteitsorkest bespeelde. Hij had op zijn oude school, Mattituck High, tijdens de diploma-uitreiking de toespraak gehouden. Om de paar minuten biedt Cathy me iets te eten aan. Ik herken die onwaarschijnlijke neiging om gastvrij te willen zijn tegenover degenen die met je komen rouwen. De vader van Kevin komt langs. Het is een enorme man, meer dan een meter tachtig lang en breder dan Kevin. Hij gaat bij ons zitten, zegt niets, en neemt Andrew ten slotte mee uit wandelen.

Voordat ik terugrijd naar Bethesda, zeg ik tegen Kevin dat hij zich niet druk hoeft te maken over de afwerking van het speelhuis. Twee dagen later is hij weer aan het werk.

Ginny dreigt tijdens het ontbijt ergens in te stikken. Het duurt maar een paar tellen, maar Jessie verstijft. Sammy rent de kamer uit.

Tijdens Sammy's laatste dag op de voorschool onthulde de Geneva Day School een bankje ter nagedachtenis aan Amy. Jessie had twee jaar eerder op Geneva gezeten, en volgend jaar zou het de beurt aan Bubbies zijn. Het bankje was een idee van Leslie Adelman en Laura Gwyn, en de docenten en de gezinnen van de school hadden allemaal iets bijgedragen. Leslie had een tuinontwerper gevraagd struiken en tulpen achter het bankje te planten, en Jim Bryla, de aannemer die het terras en de kelder van Amy en Harris had opgeknapt, zorgde voor de plaatsing. Toen Jim en zijn mannen aan het huis hadden gewerkt, had Amy er altijd voor gezorgd dat er fris voor hen in de koelkast stond en had ze tussen de middag iets te eten voor hen klaargemaakt. Het bankje was van teakhout, en in de rugleuning waren drie cirkels uitgesneden, die voor de drie kinderen stonden. Er was ook een bronzen plaatje op bevestigd, een geschenk van een ouder, met de tekst: TER NAGEDACHTENIS AAN AMY SOLOMON, MOEDER VAN JESSICA, SAMMY EN JAMES. Het bankje stond naast een hek bij het midden van het plein, zodat ouders daar naar hun spelende kinderen konden gaan zitten kijken.

Het bankje werd op een onbewolkte, warme dag aan

het einde van mei onthuld, om twaalf uur 's middags, op de vrijdag voor het weekend van Memorial Day. Na de onthulling zou er een feestelijke middag voor de kinderen en een picknick volgen. De ongeveer vijfenzeventig aanwezigen vormden een kring. Een van de sprekers was de meester van Sammy, Ed Bullis, een opgewekte jongeman die de kinderen op zijn gezang trakteert en Sammy sinds de dood van Amy nauwlettend in de gaten heeft gehouden. Hij noemt Sammy 'Samalama'. Mevrouw Funk, de directrice van Geneva, hield eveneens een toespraak en gaf de familieleden gieters om de bloemen rond Amy's bankje water te kunnen geven. Jessie, Sammy en Bubbies gaven de tulpen water. Mevrouw Funk en meneer Bullis zeiden dat Amy deel van de school was geweest, dat ze haar vaak op het plein hadden gezien, spelend met haar eigen kinderen en die van anderen.

Carl sprak en Harris sprak. Harris vertelde hoe belangrijk het moederschap voor Amy was geweest, dat haar kinderen op de eerste plaats waren gekomen. Ze nam haar werk als arts bijzonder serieus en had voor die baan gekozen om anderen te kunnen helpen, maar ze had nee gezegd tegen een plaats in de maatschap om zich meer aan haar gezin te kunnen wijden. Leslie nam het woord. Ze zei: 'Op de avond voordat Amy stierf, was ik bij haar thuis. Ik zag dat de kaars die ik haar ter gelegenheid van James' eerste verjaardag had gegeven nog steeds naast de telefoon in de keuken stond, ook al was het nu maanden later. Ze zei tegen me dat die kaars zo lekker rook en dat ze hem daar liet staan om er te midden van alle chaos in het leven van te kunnen genieten. We grapten dat het haar telkens weer aan tijd ontbrak om die kaars ook echt aan te steken.' Ze zei dat Amy daar nooit spijt van had gehad, dat ze nooit spijt had gehad van dingen die ze niet had of niet had gedaan. 'Voor Amy draaide het in het leven niet om "meer".'

Na de onthulling durfde niemand in de buurt van het bankje te komen, alsof dat iets heiligs was. Toen liep een vader er met zijn kind heen. Ze gingen zitten en aten hun broodjes op.

In het weekend van de vierde juli komt de familie zoals elk jaar naar Quogue voor de verjaardag van Carl, die op twee juli jarig is. Dit jaar brengen Carl en Wendy niet alleen Andrew en Ryan mee, zodat die met hun nichtje en neefjes kunnen spelen, maar vragen we ook Scott Huber, de broer van Wendy, zijn vrouw Risa en hun twee dochters Sydney en Caitlin. Jessie en Sammy noemen die twee ook hun nichtjes. Ergens in ons huis bevinden zich nu zeven kinderen onder de zes, plus acht volwassenen, met inbegrip van John. Zoals we al hadden verwacht krijgt een van de kinderen, in dit geval Jessie, het flink te kwaad wanneer duidelijk wordt dat alle moeders aanwezig zijn, behalve de hare. 'Het is niet eerlijk!' zei ze huilend. Harris ging bij haar zitten in wat als de slaapzaal van de kinderen fungeerde. Ze zei: 'Ik wil mijn neven en nichtjes.' Carl kwam binnen met de rest van de kinderen en stelde voor dat ze van het ene bed naar het andere zouden springen. Jessie nam de leiding.

Jessie vindt het maar niets dat ik zo veel samen doe met de driejarige Caitlin Huber. Een tijdje geleden ontdekte Caitlin dat ik een einzelgänger ben, net als zij, en koos me daarom uit als haar speelkameraadje. Haar opvatting van spelen is mij in het rond commanderen. Ze geeft me een kleurboek en zegt dat ik binnen de lijntjes moet blijven. Toen haar moeder bezig was haar zindelijk te maken, zei ze dat ik haar potje moest legen. Jessie heeft onze verstandhouding tot nu toe zonder iets te zeggen gadegeslagen, maar toen ze dit weekend in de gaten kreeg dat ik een doos Kleenex met een plaatje van een prinses erop had meegebracht, zei ze tegen Ginny: 'Die heeft Boppo vast voor Caitlin meegebracht.'

Scott en Risa, die allebei arts zijn, konden erg goed met Amy en Harris opschieten, en met Carl en Wendy en John. Vóór de dood van Amy beschouwde ik hen als een soort verre familieleden en deed ik niet echt de moeite meer over hen te weten te komen. Nu voel ik de behoefte om dat wel te doen, en ik wil ook Jayme en Allison, Risa's beide zussen, hun echtgenoten Michael en Ray en Risa's ouders Chuck en Irene, die altijd zo hun best voor Amy deden, beter leren kennen. Tijdens het weekend fietsen de kinderen in het rond en spelen in het zwembad, waarvoor ik een opblaasbare krokodil met een strenge, boze blik heb geregeld. Bubbies rijdt rond in zijn rode Cozy Coupe en 'braadt' hotdogs op zijn speelgoedfornuisje. We zingen 'Happy Birthday' voor Carl.

Onze slaapkamer dient tevens als een podium voor de familiefoto's: Carl en Wendy op hun trouwdag, Amy en Harris op de hunne. Er staat een foto van Andrew en mij aan de piano; van alle vijf de kleinkinderen in gekunstelde poses; eentje van John met toga en bijpassend hoofddeksel tijdens zijn afstudeerceremonie;

twee van Amy en Ginny, met hun hoofden dicht bij elkaar, waarop ze net zussen lijken. Op een van de foto's zijn Jessie en ik op het strand in Quogue te zien. Op een andere staan Amy en ik op het strand in Cape Cod. Ze is net zo oud als Jessie nu is en heeft een handdoek om haar schouders geslagen, alsof ze net uit het water komt. Een foto van Amy met een blauwe honkbalpet op en Bubbies in haar armen. Een foto van Amy met Sammy op haar heup; zij glimlacht, hij kijkt nieuwsgierig. Een charmante foto van het vollemaansgezichtje van Bubbies, een paar maanden oud, en eentje van Amy op haar tweede, die Ginny's zonnebril opzet of juist afzet. De foto's hangen aan de muren, staan op Ginny's bureau, op de schoorsteenmantel, de nachtkastjes, de ladekast.

Bij tijd en wijle wordt Ginny getroffen door de aanblik van die foto's, of door een ander voorwerp waarmee een herinnering is verbonden. Ik word daarentegen vaker gekweld door alledaagse problemen of tijdelijke zorgen, zoals de vraag welk overhemd ik aan moet, en of ik mijn pil al heb geslikt – omdat niets ooit nog normaal zal zijn. Bij de poot van de ladekast zit een roestbruin vlekje in het beige tapijt. Dat is daar op de middag van de achtste december beland, kort nadat

Carl Ginny en mij had gebeld met het bericht over Amy. We pakten snel onze spullen om naar Bethesda te vertrekken, en toen ik een dopje op een potje met kinderaspirine probeerde te draaien, vielen de pillen op de grond. Ik raapte ze weken later op, en toen hadden ze een vlek achtergelaten.

Quogue is ons altijd goed bevallen vanwege de toon die het plaatsje zet en weet te behouden: de bewoners leiden een rustig leven en zijn op zichzelf. Een aantal vrienden uit het dorp kwam naar Amy's begrafenis, onder wie Susie en Denny Lewis. Hun zoon Denny vertrok na *college* en voordat hij aan zijn studie geneeskunde ging beginnen naar Argentinië en is daar bij een ongeluk omgekomen. Hij zat in een auto bij een roekeloze chauffeur die veel te hard reed. Er kwam brieven van nog tientallen andere inwoners, van wie velen Amy nog nooit hadden ontmoet en die ons amper kenden. Charlie en Anne Mott belden regelmatig. Hun schoonzoon, Marc Reisner, is in 2000 overleden aan blindedarmkanker. Anne en Charlie hebben hun dochter Lawrie geholpen met de opvoeding van de twee kleindochters. Andrew Botsford schreef een aangrijpend overlijdensbericht voor *The Southampton*

Press, waarvan hij een van de redacteuren is. Christine Clifton en haar medewerkers van de bibliotheek van Quogue stuurden een plant. Aurora Jones van Flowers by Rori kende Amy nog omdat ze de rozen voor haar bruiloft had verzorgd. Ze begroette ons in tranen toen we naar Quogue terugkeerden, en hetzelfde gold voor Lulie Morrisey, een vriendin die ons op het postkantoor in haar armen nam. Amy snelwandelde altijd naar de Quogue Country Market voor haar ochtendkoffie, eerst met Jessie en later met Sammy en Bubbies in de wandelwagen, die ze voor zich uit duwde. Daar babbelde ze wat met de eigenaren, Bob en Gary, en met de medewerkers achter de toonbank, Sue, Gerard, Lisa en de vrouw die we onze 'andere Ginny' noemen. Ze waren allemaal getroffen door een hevig verdriet. Ginny, die daar al jaren werkt, schreef een vriendelijk briefje, en de kleine Sue kwam achter haar toonbank vandaan om ons te omhelzen, met hangend hoofd, zonder iets te zeggen.

Amy was degene die ons in eerste instantie naar Quogue heeft gelokt. We hadden twee zomers doorgebracht in gehuurde vakantiehuizen in East Hampton en Bridgehampton, maar het drukke sociale leven dreigde ons te veel te worden. Amy, die toen in het tweede jaar van haar studie zat, had een vakantiebaantje in de keuken van een tennisclub in Quogue, waar ze verantwoordelijk was voor de hamburgers en broodjes. Ze wist dat Ginny en ik genoeg hadden van de Hamptons en van plan waren de zomer in de toekomst ergens anders door te brengen, misschien wel in New England. 'Voordat jullie de knoop doorhakken, moeten jullie echt even in Quogue komen kijken,' zei ze. 'Dat is net als jullie.' Saai, bedoelde ze.

'Ik zie haar nog steeds aan de keukentafel zitten,' zegt Ginny tijdens het weekend tegen me. 'Al die scheikunde- en natuurkundeboeken.'

Amy moest haar kennis bijspijkeren om de voorbereidende vakken bij geneeskunde te kunnen halen. Tijdens *college* had ze geen enkel exact vak gevolgd, en pas na twee jaar serveren en achter de bar staan besloot ze geneeskunde te gaan studeren. Eerder had ze nog gedacht dat ze actrice wilde worden, maar nadat we een bevriend acteur hadden gevraagd of hij haar iets wilde vertellen over de eisen en nadelen van dat vak, had ze na hun twee uur durende gesprek besloten dat ze arts wilde worden. We zeiden tegen onze vriend dat hij iedere jongere die aan het toneel wilde hetzelfde moest vertellen; daar zouden ouders hem een fortuin voor willen betalen.

Ik wou dat mijn vader lang genoeg had geleefd om haar het vak in te zien gaan. Toen Amy afstudeerde, gaven we haar zijn dokterstas cadeau. Op de zijkant van de tas, vlak onder de hengsels, stonden mijn vaders initialen in gouden letters. Aan de andere kant lieten we Amy's initialen zetten. Toen we haar de tas gaven, hield ze die dicht tegen zich aan en zei met een zucht: 'O.'

In 1996 heb ik voor een uitgave over 'De beste artsen van de stad' van het tijdschrift *New York* een bijdrage geschreven over het karakter van medici. Voor dat artikel interviewde ik Amy, die toen in het tweede jaar van haar studie zat, en ik vroeg haar in hoeverre het vak sinds de tijd van mijn vader was veranderd. Ze antwoordde dat artsen vroeger nog aanzien hadden genoten en omgeven waren geweest door een zekere geheimzinnigheid. Haar grootvader was 'de Dokter' geweest, zei ze. 'Ik word gewoon dokter.'

'Zou je niet denken dat het aanzien van artsen juist is toegenomen, gezien alle vooruitgang die in de medische wereld is geboekt?' vraag ik aan haar.

'Het is gek,' zei ze. 'Vroeger wisten artsen bijna niets, maar golden ze als de ultieme autoriteit. Vandaag de dag weten ze zo veel meer, maar is dat eerder in hun nadeel. Wanneer er iets misgaat, denken de mensen: nou, dat hadden ze toch moeten weten; en door de kennis die de gemiddelde burger nu over medische zaken heeft, is het vak van heel wat mystiek ontdaan. Een second opinion wordt nu als iets verstandigs gezien, ook al lijk je daarmee te willen zeggen dat de eerste diagnose niet klopt. En misschien was de dood vroeger wel meer deel van het leven. De mensen geloven tegenwoordig niet meer in de dood, maar artsen wel.'

'Is het een baan, of eerder een roeping?' zei ik.

'Eerder een baan, maar wel een heel interessante,' zei ze. 'Ik zou denk ik teleurgesteld zijn als ik het als een roeping zou zien. Maar het werk op zich is ongelooflijk fascinerend. Artsen worden voortgedreven door het besef dat ze het simpelweg niet weten.'

Momenten waarop je het simpelweg 'niet weet' kunnen ook pijnlijke gevolgen hebben. Ik zie nog het weggetrokken en hulpeloze gezicht voor me dat mijn vader trok toen hij hoorde dat een patiënt die hij heel lang had behandeld vanwege longkanker, zijn specialisme, toch was overleden. Ik weet nog hoe Amy een paar jaar geleden keek toen een van haar patiëntjes overleed, een kind van anderhalf. Hij was te vroeg geboren, had een waterhoofd en ontwikkelde zich niet op de gebruikelijke manier. Er was een buisje in zijn hersenen geplaatst dat het overtollige vocht naar de buikholte moest afvoeren. Het kind was verwaarloosd door zijn moeder, maar de pleegmoeder, voor wie Amy veel respect had gehad, was keurig op elke controle verschenen. Het buisje was ontstoken geraakt, en zoals bij baby's die in hun ontwikkeling zijn achtergebleven vaker het geval is, waren de symptomen amper waarneembaar. Toch had Amy het gevoel dat ze die minieme veranderingen had moeten zien. Artsen vertrouwen vaak op een sterk ontwikkeld zesde zintuig dat afwijkingen moet waarnemen omdat ze in negen van de tien gevallen met alledaagse kwalen te maken hebben. Een kinderarts behandelt voornamelijk breuken, blauwe plekken, snijwonden, verkoudheden en keelontsteking. Harris vertelde me: 'Ze had het er heel erg moeilijk mee toen dat kind stierf. Ze had een geweldig zesde zintuig, maar toen dacht ze dat het haar in de steek had gelaten. Ze gaf zichzelf de schuld.'

Het enige wat Amy met haar studie wilde bereiken, zo zei ze ook in het interview voor het artikel in *New York*, was dat ze 'mensen beter kon maken'. Haar vriendin Liz Hale, die dermatologe is, vertelde me: 'Amy heeft me in de loop van één avond meer over het voeden van een krijsende baby geleerd dan alle lactatiedeskundigen die ik heb geraadpleegd bij elkaar.' Haar collega-kinderarts Gail Werner zei: 'De meeste artsen zijn slim, maar Amy had ook een goed beoordelingsvermogen. Ik ging vaak met mijn problemen naar haar toe.' Ze had ook oog voor het wonderbaarlijke in haar vak. Toen we kort na de geboorte van Andrew allemaal bij Wendy op de kamer in het ziekenhuis zaten, tilde Amy het pasgeboren kind op, draaide hem een paar keer om en bekeek hem als een fotograaf die een negatief tegen het licht houdt.

Amy zorgt ervoor dat ik in Quogue een broodrooster krijg. Dat apparaat vormt de vervanging voor een broodrooster waaraan iedereen een hekel had, behalve ik, omdat je hem in precies de juiste stand moest zien te zetten om te voorkomen dat het brood zou verbranden, of niet bruin genoeg zou worden, of maar aan één kant werd geroosterd. Er was niemand die zo'n grote hekel aan dat ding had als Amy, en dat kwam doordat er zo veel bagels sneuvelden. Ik nam het voor de broodrooster op, voornamelijk vanwege zijn art-decouiterlijk. Hij was gestroomlijnd, verchroomd, met ronde hoeken. Maar Amy gaf de voorkeur aan functie boven vorm, en toen ze bezig was een cadeautje voor mijn verjaardag te regelen, wist ze Harris, Carl, Wendy en John zover te krijgen dat die meebetaalden aan een nieuwe, dure en 'professionele' broodrooster van het merk Viking die wel werkt. Je kunt hem in de stand 'warm' zetten, en hij is vierkanter van vorm dan de oude broodrooster, die ik voor de zekerheid achter de hand heb gehouden. De oude doet ook dienst als extra apparaat wanneer ik voor alle kinderen tegelijk brood moet roosteren. Maar de nieuwe broodrooster is de beste.

Na het weekend van de vierde juli gaan Ginny, Harris en de kinderen terug naar Maryland. Jessie en Sammy staan te popelen om terug te keren naar hun Wii, die Harris aan het begin van de zomer voor hen heeft gekocht. Ik moet in Quogue blijven vanwege de Southampton Writers Conference, die half juli begint en tot het einde van de maand duurt. De auteurs geven workshops en lezen 's avonds twee aan twee voor. Deze zomer ben ik gekoppeld aan Frank McCourt. Frank leest voor uit zijn eerste roman. Ik had iets willen lezen uit mijn roman *Beet*, die in februari is verschenen, maar toen ik in mijn wirwar aan papieren naar iets anders zocht, stuitte ik op een essay dat ik eenentwintig jaar geleden voor *Time* heb geschreven, 'Toespraak voor een eindexamenkandidaat'. Het was een poging tot een literaire toespraak voor de diploma-uitreiking, ter ere van Amy. Ik heb vergelijkbare essays voor *Time* geschreven toen Carl en John hun diploma kregen, waarbij ik het liet klinken alsof een vader een persoonlijke toespraak hield voor zijn geslaagde kinderen en naar hun toekomst keek.

Ik besloot het essay voor te lezen in plaats van een fragment uit mijn roman. Ik zou dat nooit voor een publiek van vreemden hebben gedaan, maar dankzij Bob Reeves, de organisator van het evenement, is er in de loop der jaren een vriendschappelijke sfeer ontstaan en hebben de deelnemers een band gekregen. Na de dood van Amy schreef Billy Collins aan ons: 'Soms schieten woorden inderdaad tekort.' Frank, Matt Klam, Lou Ann Walker, Meg Wolitzer en anderen bleven contact houden. Melissa Bank stuurde een klein pakje met een gebloemd zakdoekje voor Ginny, bandjes met korte verhalen waarnaar ik in de auto kon luisteren, en een kastanje die ze een paar jaar eerder op de oprit van een restaurant in Toscane had gevonden en die haar troost had geboden. Ik geloof niet dat het essay voor Amy ongepast zal lijken. Dus als Frank klaar is, lees ik voor wat ik heb geschreven toen Amy zeventien was. Ik vind het interessant om te zien hoeveel van mijn wensen voor haar zijn uitgekomen met betrekking tot haar liefde voor reizen, voor dieren, voor muziek, haar waardering voor geschiedenis, haar enthousiasme voor sport, haar respect voor traditie. Ik wenste dat ze moedig de strijd zou aangaan, maar raadde haar aan geen tijd te verspillen aan uitputtende vijanden. Ik wenste dat ze werk zou vinden waarvan ze hield en voorspelde dat dat iets te maken zou hebben met 'anderen helpen'. Ik gunde haar productieve eenzaamheid en waardevolle vriendschappen, hoewel dat in haar geval een overbodige wens was. Ik gunde haar het genoegen van gevatte gesprekken met vreemden, en momenten waarop ze niets anders zou kunnen doen dan lachen. Ik wenste dat ze ergens zou gaan wonen waar ze een groot stuk van de hemel kon zien. Het stuk eindigt met de belofte nooit los te laten.

Ginny komt terug voor de opening van het evenement. Ze moet binnenkort weer terug naar Bethesda, waar

Jessie en Sammy de rest van de maand op zomerkamp zullen doorbrengen, maar bij wijze van uitzondering kunnen we een paar dagen lang van elkaars gezelschap genieten. Bij zonsondergang maken we een wandelingetje. We voelen ons ouder en kleiner dan wanneer de kleinkinderen erbij zijn. De hemel is roze en oranje, de straten zijn verlaten en we horen alleen de geluiden van kinderen in hun huizen. We praten over de campagne voor de presidentsverkiezingen en over onderwerpen uit het nieuws.

Tijdens vorige zomers liepen we 's avonds vaak naar de oceaan, die op ruim een halve kilometer van ons huis ligt. Of we liepen niet verder dan de brug over het Shinnecock Canal en draaiden dan weer om. Vanavond blijven we in de straten die als zijrivieren naar het water lopen. We kennen die standvastige oude huizen, al kennen we niet alle bewoners. We kennen sommige huizen zelfs heel goed omdat we erdoorheen hebben gedwaald toen ze te koop stonden. Ons eigen huis lag buiten ons bereik toen het voor het eerst te koop werd aangeboden, maar de eigenaren hadden ergens anders nog drie huizen en zeiden uiteindelijk, tot onze grote schrik, ja tegen ons bod. We lopen naar Penniman's Creek, waar het water over het bezinksel spoelt.

'Ik denk erover om een kajak aan te schaffen,' zeg ik tegen haar.

'Weet je hoe je daarmee om moet gaan?' zegt ze.

'Ik heb het twee of drie keer gedaan.'

'Is dat niet gevaarlijk?' zegt ze.

'Nee. Ik zal er ook eentje voor jou kopen.'

'Ik vind het vast eng,' zegt ze.

Ik zeg tegen haar: 'Als ik het kan, kan iedereen het.'

Het is al bijna donker, en de straten zijn van grijs in zwart veranderd. We horen het plok-plok van tennisballen. We lopen hand in hand, net zoals we op de middelbare school deden toen we pas verkering hadden. Ik neem me voor een winkel in Wainscott te bellen waar ze kajaks verkopen.

In Quogue Street komen we langs het huis van onze vriend en buurman Ambrose Carr, wiens echtgenote Nancy, een lieve en mooie vrouw, twee jaar geleden in november is overleden. Ze was al een hele tijd ziek. Amby, die iets ouder is dan wij, heeft een voorname stem en het gezicht van een acteur uit de jaren dertig. Op een dag hadden we 's ochtends nog op het postkantoor met elkaar staan praten en liep hij 's middags vanaf zijn erf het onze op om te vertellen dat Nancy zoeven in haar slaap was gestorven. Na de dood van Amy sprak hij een boodschap voor Ginny en mij op het antwoordapparaat in: 'Ik hou van jullie.' Tegenwoordig gaat hij af en toe op reis, bezoekt zijn kinderen en kleinkinderen, onderhoudt zijn tuin en luistert naar jazz.

In Bethesda schrijft Ginny een gedicht dat 'Boog van schaduw' heet:

Rachmaninov en Mozart
Sijpelen door het waas
Op River Road.
Twee vrouwen met hoed wachten
In de hitte op de plaatselijke bus.
De Wii is de zomerwens
Die is uitgekomen.
De wieg van je kindjes is uit elkaar gehaald
En weggebracht
Aanvaard
Vol dankbaarheid
En klaar om nieuw leven te ontvangen.

Ik sla af naar de rij
Carpoolers bij het kamp

En denk alleen maar aan jou.
De boog van schaduwen hangt stil

De stralen van de hete julizon
Werpen vlekjes op de boog van bladeren
En versterken het duister.

Ik ben hier.

Ginny is drie jaar geleden begonnen met gedichten schrijven en heeft er een aantal gepubliceerd. Ze zijn net zoals zij. Ze beginnen bijna allemaal met de beschrijving van een bekoorlijk tafereel, vaak landelijk en idyllisch, dat vervolgens plotseling plaatsmaakt voor een idee of gevoel dat veel beklemmender is. Het is alsof ze je welkom heet in haar gedicht, je binnenlaat en dan de deur sluit zodra je je op je gemak begint te voelen. Dan onthult ze haar ware bedoeling, wat in het geval van 'Boog van schaduw' het versterken van het duister is. Je moet de eerdere regels nogmaals lezen om te zien waar ze er al op zinspeelt: de vrouwen die in de hitte staan te wachten, het wiegje dat uit elkaar wordt gehaald. Je zou kunnen zeggen dat je het niet zag aankomen, maar de tekenen waren er wel degelijk. Zo is het ook met Ginny. Haar beschaafde manier van doen zorgt ervoor dat mensen niet merken dat ze ook oog heeft voor de duistere kanten van het bestaan. Zo heeft ze het het liefst. Haar gedichten maken iets duidelijk, maar op een vriendelijke manier. Ze kraken een ei zonder het te breken.

Voor het grootste deel van de maand augustus komen alle vijf de kleinkinderen – Jessie, Sammy, Bubbies, Andrew en Ryan – naar Quogue. Ligaya komt ook mee en zorgt er zo voor dat we zullen overleven. De kinderen komen laat op de avond aan, in twee ploegen, en rennen meteen van de auto's naar het speelhuis. Ze hebben het al tot 'vet gaaf' uitgeroepen.

Kevin heeft een klein podium voor ons gebouwd, en een van de eerste voorstellingen van de kinderen is het naspelen van *Idols*. Ik speel Paula, een van de juryleden. Een andere voorstelling is gebaseerd op Moseybane, een utopie uit Sammy's fantasie. We noemen het 'De koning van Moseybane'. Harris heeft via internet kostuums besteld voor Sammy (de koning), Ryan (de prins), Jessie (de tovenaar) en Andrew (de ridder). Boppo (de draak) en Bubbies (de verteller) kunnen het zonder kostuum stellen.

Op de avond van de première, die toevalligerwijs

ook de avond van de laatste voorstelling is, verschijnt Ryan samen met zijn moeder Wendy op het toneel. Andrew wilde eerst helemaal niet opkomen, maar zegt na enige overreding zijn tekst uit zijn hoofd op. Jessies overdreven tovenaar is niet te onderscheiden van haar auditie voor *Idols*. De koning lijkt zich te verbazen over zijn eigen macht. Bubbies beseft dat zijn ene regel tekst, 'Oekies', zijn woord voor zijn favoriete koekje, veel meer indruk zal maken als hij die vanaf de vijftig meter verder gelegen oprit zal uitspreken, met Harris aan zijn zijde. De draak boet enigszins aan afschrikwekkend gedrag in wanneer blijkt dat hij bijna alle rollen moet voorlezen, op die van Jessie en Andrew na. Ondanks al die creatieve verschillen kan het publiek, dat bestaat uit mijn broer Peter, Bob en Beth Reeves en de andere volwassenen uit onze familie, de voorstelling wel waarderen. De verwonderde cast ontvangt een staande ovatie.

Voordat de zomer begon, had ik voor Ginny, Harris, Carl, Wendy, John, de vijf kleinkinderen en mezelf honkbalpetjes met de opdruk OBAMA gekocht. Ik had de petjes op bestelling laten maken in een gespecialiseerde winkel in het winkelcentrum Tyson's Corner in

Virginia. Ze waren wit, met OBAMA in marineblauwe letters; erg mooie petjes. Tijdens een korte, zij het wat overdreven ceremonie reikte ik aan iedereen een uniek Obama-petje uit. Harris zei dat de andere artsen in zijn maatschap hem vast zouden uitlachen. John zei simpelweg dat hij zou worden uitgelachen. Carl zei dat niemand op zijn werk wist wie Obama was. Wendy leek wel tevreden. De kinderen pasten het petje stuk voor stuk een halve seconde lang, gooiden het opzij en zetten het nooit meer op. Ik droeg het mijne vaak. Ginny, die gedurende de afgelopen twee jaar in haar eentje campagne voor Obama had gevoerd, droeg het hare altijd, waar ze ook naartoe ging. Op een dag liet ze het, afgeleid door de kinderen, op het strand liggen. De volgende middag gaf een lid van de reddingsbrigade het aan haar terug, hoewel haar naam niet op het petje stond. Amy zou er geweldig uit hebben gezien met dat petje, haar paardenstaart dansend door het gat aan de achterkant.

Wendy vertelt aan de familie dat ze in verwachting is. Jessie hoopt dat het een meisje wordt.

Nu er twee klanten bij zijn gekomen, word ik een kantinekok die alle opdrachten moet uitvoeren die hem tegelijk worden toegeschreeuwd: muesli, geen muesli; muesli met en zonder melk; halfvolle melk die aan Silk en aan 'rundmelk' moet worden toegevoegd; minipannenkoekjes en miniwafels, met en zonder suiker, met en zonder boter, met en zonder ahornsiroop. Bubbies blijft vasthouden aan zijn voorliefde voor geroosterd brood.

Om Sammy te plagen leer ik Andrew en Ryan de tekst van 'De Grote Boppo'. Ryan verklaart meteen dat het zijn lievelingslied is (ik heb geen idee hoeveel andere liedjes hij kent) en zingt het uit volle borst, wat in zijn geval een behoorlijk volume betekent. Andrew schijnt het lied te kunnen verdragen, maar heeft zijn twijfels over de tekst. Hij wil weten of ik echt zo groot ben. Ik kijk naar Sammy, die spottend glimlacht. Bubbies is inmiddels oud genoeg om het liedje te leren. Jessie, sportief als altijd, doet ook mee, zodat het koor van die ochtend bestaat uit Ryans boude bariton, Andrews aarzelende tenor, Jessies krachtige sopraan, Bubbies' hese alt en Sammy die 'Ik hoop dat hij niet zit te poepen' brult. Ik bedenk dat de andere volwassenen dit vertoon van eigenwaan misschien maar niks vinden, maar dat is nu eenmaal de prijs die de waarlijk groten der aarde moeten betalen.

Mijn woede stelt weliswaar niet zo veel voor, maar welt op de verkeerde momenten en de verkeerde plaatsen in me op. Op een avond trek ik fel van leer tegen Ryan van drie. Ryan is niet alleen groot voor zijn leeftijd en gezegend met een diepe stem, hij heeft ook de gewoonte als een gangster te spreken, tot genoegen van ons allemaal, met name Carl en Wendy. Wanneer hij een glas water wil, gromt hij: 'Wah-duh!' Hij was net op de overloop boven recht tegen Bubbies aan gebotst, die daardoor onderuit was gegaan. Ik begon te schreeuwen en Ryan dook ineen. Hij greep zijn knuffel. Ik pakte die van hem af. Ik overdreef. Ik bood mijn verontschuldigingen aan. Hij bood zijn verontschuldigingen aan. Hij zei: 'Ik wou dat ik een superheld was, dan kon ik over Bubbies heen vliegen zonder hem te raken.'

Wendy nam het me kwalijk dat ik zo uit mijn slof was geschoten. Ze wilde niet met me praten, waardoor ik me nog schuldiger voelde. Wendy is me dierbaar, en ze gaat heel lief en vol begrip met Jessie, Sammy en Bubbies om. Ze begrijpt dat vrouwen zoals zij en Liz Hale, Leslie Adelman en een paar andere van Amy's leeftijd een verbinding met Amy vormen. De kinderen kijken misschien wel naar die vrouwen, herinneren zich hoe hun moeder zich in hun bijzijn gedroeg en gaan hen als een soort surrogaat zien. Ik weet dat dat bij hun tante Wendy zo werkt. Ik zei tegen mezelf dat ik het goed zou maken, maar dat hoefde niet. Kort na mijn uitval tegen Ryan was het weer koek en ei tussen ons, zonder dat ik er moeite voor hoefde te doen.

Amy en Harris zijn in 1998 in ons huis in Quogue getrouwd, op een van die ongelooflijk zonnige junidagen die kunstenaars naar het oosten van Long Island lokken. Het heeft Amy nooit iets kunnen schelen dat we ons niet zo'n grote bruiloft met alles erop en eraan konden veroorloven als haar vriendinnen hadden gehad. Ik had haar verteld wat de mogelijkheden waren, zij vond het prima. We huurden een grote witte tent, die als een opbollend zeil op het gazon in de voortuin stond. Amy en Harris kozen voor een orkestje uit New York dat vooral liedjes uit de jaren zestig op het repertoire had. Er waren blauwe blazers en rode dassen en donkerblauwe jurken met witte biesjes en heel veel witte rozen. De hemel was helder als glas.

We hadden Amy gevraagd wat voor soort ceremonie

Harris en zij wilden, en ze had geantwoord dat ze graag wilden dat cartoonist Garry Trudeau, een goede vriend van de familie, hen in de echt zou verbinden. Nadat we her en der hadden geïnformeerd bleek dat de staat New York het cartoonisten (of welke leken dan ook) niet toestaat om huwelijken te sluiten, zodat we besloten twee plechtigheden te houden, eentje met de cartoonist en de wettelijke met Erik Kobell. Op de ochtend van de bruiloft lieten Amy, Ginny en Jane Pauley, televisiepresentatrice en echtgenote van Garry, in de schoonheidssalon van Quogue hun haar doen. Jane had Amy een paar diamanten oorbellen gegeven, zodat ze 'iets geleends' kon dragen. In de salon vertelde ze Amy dat het lenen slechts tijdelijk was; zodra Harris en Amy officieel man en vrouw waren, mocht ze de oorbellen als haar eigendom beschouwen. Garry sprak het paar in fraaie bewoordingen toe en vertelde de aanwezigen dat hij Amy en Harris huwde uit naam van de macht die 'de staat van Euforie' hem had verleend.

De volgende dag gaven we, voordat Amy en Harris op huwelijksreis zouden gaan, een brunch voor de bruiloftsgasten en vrienden. Amy en ik maakten samen een wandelingetje, met onze armen om elkaar heen. Ik weet niet meer wat we tegen elkaar hebben gezegd.

110

Bubbies zit op mijn schoot in de woonkamer. Wanneer hij zich ontspant, haakt hij zijn handen achter zijn hoofd in elkaar. Dat doe ik ook. We zitten samen in een scheve bruine leren stoel: dezelfde houding, achter elkaar, als in een bobslee. Op een avond wijst hij naar de plank links van hem en zegt: 'Boek.' Hij wijst naar *The Letters of James Joyce*, bezorgd door Stuart Gilbert. De correspondentie van de grote schrijver lijkt me een ambitieuze keuze voor een jochie van drieëntwintig maanden oud, maar ik pak het boek van de plank en zet het rechtop voor ons neer.

'Beste Bubbies,' begin ik. 'Ik ben vandaag naar het strand geweest en heb in het zand gespeeld. Ik heb ook een kasteel gebouwd. Ik hoop dat je binnenkort bij me komt spelen. Groeten, James Joyce.'

Dat lijkt Bubbies tevreden te stellen, dus ik lees nog 'een brief' voor:

> Beste Bubbies,
> Ik ben vandaag naar de speeltuin geweest. Op de glijbaan gegaan. Was best wel een beetje eng. Ik

vind de schommel leuker. Ik kan heel hoog, net als
jij.
Groeten,
James Joyce

Bubbies slaat de pagina's om. Ik vermaak mezelf bij tijd en wijle met een bedachte brief die dichter bij de waarheid over het leven van Joyce komt.

Beste Bubbies,
Ik heb de pest aan de katholieke Kerk en ga Ierland
voorgoed verlaten.
Groeten,
James Joyce

Ik vind het amusant dat Bubbies juist die schrijver heeft uitgekozen die er geen been in had gezien een baby te vertrappen als dat hem een goede recensie had opgeleverd.

Ik probeer het boek terug te zetten, maar hij heeft door dat dat aangeeft dat het bedtijd is en begint te protesteren. 'Joyce!' zegt hij. Uiteindelijk legt hij zich neer bij het feit dat zijn dag ten einde is. Hij zet het boek zelf terug en zegt zacht: 'Joyce.'

Toen Bubbies nog maar een paar maanden oud was, zette Amy hem op haar knieën, hield hem onder zijn armen vast en keek hem recht en uitermate doordringend aan alvorens haar wonderlijke eigen tekst op de maat van 'Vader Jacob' te zingen. Nu vraag ik me af of ze misschien een onbewust voorgevoel had dat ze er niet veel langer meer zou zijn:

Zie ons tillen, zie ons tillen.
Wij zijn sterk, wij zijn sterk.
Maakt niet uit hoe zwaar het is,
maakt niet uit hoe zwaar het is.
Wij zijn sterk.

Ik breng Ginny en Jessie met de auto naar New York, geniet samen met hen van een ontbijt van pannenkoeken en wentelteefjes in een eettentje in het centrum, en vervolg daarna mijn weg. Dit is een dagje statten voor de meiden. Sammy zal later zijn eigen dag krijgen. 's Morgens gaan Ginny en Jessie hun haar laten doen; Jessies haar wordt geföhnd en haar nagels worden gelakt. De manicure vraagt welke kleur lak ze wil. Ze kiest voor bijna lichtgevend blauw.

Aan het begin van de middag gaan ze naar de winkel

van American Girl op Fifth Avenue, een mekka voor meisjes die nog net geen puber zijn. Daar verkopen ze de poppen van American Girl en alle kleertjes en accessoires, kinderkleding waardoor meisjes op de poppen kunnen lijken, boeken over de poppen en papieren poppen. Er is een tearoom waar kinderen met hun poppen kunnen lunchen of theedrinken (alle plaatsen zijn gereserveerd, dus Ginny en Jessie gaan ergens anders lunchen) en een poppenziekenhuis. Jessie kiest voor een sweater van American Girl en een witte nachtpon voor zichzelf en haar pop, en twee boeken. Ze koopt ook een computerspelletje voor haar vriendin Oana.

Ze kuieren al kletsend rond, genietend van de bedaarde grootsheid van New York op een dag in augustus. Ze zakken af naar de buurt rond de West 20th Street waar vrienden van ons, de kunstenaar David Levinthal, zijn vrouw Kate en hun zoontje Sam, de grote bovenste verdieping van een pand bewonen. Kate verdient haar geld als patissier, en samen met Jessie bakt ze koekjes in allerlei verschillende vormen. Ze geeft Jessie vormpjes mee, zodat ze er thuis nog meer kan maken. Op weg terug naar het zuidelijk deel van het centrum wijst Ginny Jessie op Gramercy Park, de buurt waar ik ben opgegroeid en waar zij en ik op de middelbare school hebben gezeten en hebben gestudeerd. John sluit zijn werkdag af door samen met ons een hapje te eten. De kinderen zijn altijd al dol geweest op John omdat hij zo vriendelijk en kalm is. Jessie juicht zodra ze hem ziet. Ze stelt dat dit een 'perfecte' dag is geweest.

Carl, Wendy en hun zoons keren terug naar Fairfax, en Ginny, Harris, de kinderen en ik hebben nog een paar dagen samen voordat de zomer echt voorbij is. Ik sta aan de rand van de oceaan, hand in hand met Jessie. Toen ze nog heel klein was, wilde ze nooit dat haar voeten het zand zouden raken. Sammy reageerde net zo op sneeuw. Geen van beide kinderen had enig vertrouwen in onbekende oppervlakken. Nu duikt Jessie gewoon het water in. Harris zit een paar meter verder en werkt samen met Sammy aan een zandkasteel met slotgracht. Ginny heeft haar Obama-petje op. Samen met Bubbies zit ze onder een geel-wit gestreepte parasol. Ze leest hem voor, met eindeloze kalmte en geduld.

Ik zie mijn moeder voor me zoals ze Peter voorlas toen die Bubbies leeftijd had. Ook zij was lerares. Ze zaten samen op de tuinstoelen van het hotel waar we toen logeerden, en mijn moeder hield het boek midden in een streep zonlicht.

Ik zeg tegen Jessie: 'Daar komt de golf. Daar gaat hij. Wat zal hij raken: onze knieën of onze enkels of onze tenen?'

'Onze tenen,' zegt ze.

Kilometers verder weg in oostelijke richting zijn de stranden van Southampton en East Hampton overvol, maar hier in Quogue strekt het strand zich uit, met genoeg ruimte om te kunnen spelen en wandelen. Een meisje van Jessies leeftijd komt naar ons toe en vertelt hoe ze heet. 'Ik ben Schuyler,' zegt ze. Jessie begroet haar hartelijk. Ze loopt verder. Jessie kijkt naar de boten, die afsteken tegen de bleke hemel. Ze kijkt naar de grotere jongens op hun bodyboards. Ze lacht, verwonderd, met haar mond een stukje open, zodat het spleetje tussen haar tanden te zien is, net als Amy deed toen ze Jessies leeftijd had.

'Kom, dan gaan we het water in,' zegt Harris. Om beurten houden we Jessie vast in de golven. Wij watertrappelen een meter of tien van elkaar en Jessie zwemt tussen ons heen en weer. Ginny, die met de jongens op het strand zit, houdt ons angstvallig in de gaten. Ze kan goed zwemmen, maar blijft op haar hoede voor de oceaan. Amy kon ook goed zwemmen. Onze favoriete foto van haar op zesjarige leeftijd is genomen in een zwembad in Washington: Amy zwemt borstcrawl onder water, in de richting van de camera.

'Papa, ik kom eraan!'

Voordat we naar huis gaan, halen we nog een ijsje. Sammy wil een gesuikerd hoorntje met vanille-ijs en sprinkels in alle kleuren. Jess en Bubbies willen een bakje vanille. Harris hoeft niets. Ginny en ik nemen vanille met pinda en karamel. Families liggen in groepjes over het strand verspreid. Die van ons ziet er niet zo veel anders uit dan andere.

Aan het einde van augustus keren we terug naar Bethesda voor de eerste schooldagen van de kinderen. Bubbies gaat voor het eerst naar de voorschool op Geneva. Ginny brengt hem erheen. Hij moet de eerste dag huilen, maar daarna gaat het goed. School voor iemand van drie turven hoog, het heeft iets bespottelijks. Jessie gaat naar de volgende klas op Burning Tree, Sammy voor het eerst naar de basisschool. Hij is opgetogen, met name omdat hij nu met de schoolbus mag. Op de eerste dag komt Sammy's bus op weg naar huis zonder olie te staan.

'Wat vond je het leukste van vandaag?' vraag ik aan hem.

'Dat de schoolbus niet meer verder kon rijden,' zegt hij. Volgens Harris zou dat wel eens het hoogtepunt van Sammy's hele jaar kunnen worden.

In het weekend gaan we naar de begraafplaats. Elke keer ga ik daar met een mengeling van behoefte en angst heen, omdat ik weet dat ik het te kwaad kan krijgen bij de aanblik van het kleine rechthoekje aarde, omzoomd door een rijtje buxus en gesierd door een kegelvormige koperen houder voor bloemen en de grafsteen, die zo definitief is. Toen we in december voor dit plekje kozen, zag je de nabijgelegen kantoorgebouwen door de gesnoeide kale bomen heen. Sinds de lente wemelt het hier van de kornoeljes en magnolia's.

Jessie heeft witte anjers meegebracht en Sammy een ballon van de Washington Redskins in de vorm van een veel te grote football, die hij daar wil loslaten. De laatste tijd lijkt hij zo kwetsbaar; hij staart vaak afwezig voor zich uit en valt stil. Toch praat hij vaker over Amy's dood. Gisterochtend vroeg hij me nogmaals hoe mama was gestorven. 'Haar hart hield ermee op. Toch?' zei hij. Tijdens de eerste dag op de school moesten de kinderen een tekening van hun familie maken en tekende Sammy Amy die dood op de grond lag. Volgens Catherine Andrews, de psychotherapeute van de kinderen, geeft Sammy zo uiting aan herinneringen die bij hem opkomen en is dit een manier om die uit te bannen. Het is niet waarschijnlijk dat het nog eens gebeurt.

Bij het graf vraagt Harris aan Sammy of hij nog iets wil zeggen. Hij gaat achter de steen staan en zegt: 'Ik mis je, mama.' Hij vertelt Amy over mevrouw Franzetti, de juf van Bubbies, en over Jessies juf in de tweede, mevrouw Salcetti, en over zijn eigen juf, mevrouw Merritt. Hij vertelt Amy over de ballon en voorspelt dat de Redskins de Superbowl zullen winnen. Jessie heeft vandaag geen boodschap voor Amy. Sammy vraagt aan Harris of hij naast mama kan worden begraven. Harris zegt dat dat kan, maar dat dat nog heel lang zal duren.

Ginny en ik dragen om beurten Bubbies, die een kleine plastic pinguïn in zijn handen heeft. Wanneer je in zijn 'trekker' knijpt, gaat de snavel open en dicht, beginnen de vleugels te fladderen en maakte de pinguïn geluid. Tijdens een eerder bezoek aan de begraafplaats wilde Bubbies per se in zijn zitje blijven zitten en riep hij: 'Nee, nee!' Vandaag heeft hij zijn pinguïn en is hij er tevreden mee om rond te kijken.

Jessie zet de anjers in de kegelvormige houder. Harris schrijft 'We houden van je, mama' op de ballon. De kinderen laten hem los. Hij stijgt op in de zware lucht en blijft haken achter een boom in de verte. We verzekeren de kinderen ervan dat de wind hem vroeg of laat zal bevrijden.

Bubbies is in september jarig, net als ik. Ter gelegenheid van zijn verjaardag kwamen Carl, Wendy, de jongens en wij bij elkaar voor een feestje en gaven we hem een speelgoedbarbecue om zijn culinaire ontwikkeling te stimuleren. 'Hoe oud ben je nu, Bubbies?' vroeg ik aan hem. 'Twee!' zei hij. Ginny gaf me een kajak voor mijn verjaardag. Harris gaf me een namaak-Andy Warhol, die hij via internet had besteld, vier afdrukken van een foto van Bubbies en mij die afgelopen januari in Disney World is gemaakt: ik leun achterover op een bankje en Bubbies staat erachter en trekt aan mijn haar. Op elke foto hebben haar, ogen en huid een andere kleur. Ginny en ik hebben hem in onze slaapkamer gehangen, waar Bubbies graag kijkt naar de versie waarop hij groen haar heeft en ik blauw haar heb. Hij komt voortdurend de kamer in om Ginny's krultang weg te pakken en te verstoppen of mijn autosleutels mee te nemen of bij alles 'Wat is dat?' te vragen. Onze kamer is een thuis geworden, met ruimte voor boeken, schoenen en koffers, met foto's van Amy en de kleinkinderen op mijn bureau en de kinderen die in en uit buitelen. Sammy komt op ons bed televisiekijken wanneer Jessie het toestel boven in beslag heeft genomen. Jessie wil weten hoe mijn IBM Selectric-schrijfmachine werkt. Ze vindt het fascinerend om mij met dat ding bezig te zien: het ene fossiel dat het andere gebruikt.

Op een avond komt Sammy poedelnaakt de kamer in gestormd. 'Boppo!' zegt hij. Hij heeft net naar de dvd van *101 Dalmatiërs* gekeken. 'De daltamiërpuppy's zijn gered!' Ik vraag: 'Sammy, waar zijn je kleren?' Hij zegt: 'Ze wilden de puppy's villen, om er jassen van te maken!'

Hij kijkt naar de foto van Amy. 'Ik mis mama,' zegt hij. 'Ik ook,' zeg ik.

Aan het veelvoud van kinderactiviteiten is van alles toegevoegd: oosterse vechtsporten voor Sammy, een nieuwe sportzaal met evenwichtsbalken en klimrekken voor Bubbies en yoga voor Jess. In de herfst gaat ze op zaterdagochtend naar voetbal. Haar team, de Flames, draagt knalgele uniformen. Er wordt tegelijkertijd op de aangrenzende velden gespeeld. Rob Hazan, de coach van de Flames, is getrouwd met Jill, een oude schoolvriendin van Harris. Jill en andere moeders zitten bij elkaar op opvouwbare canvas stoeltjes in de herfstkou, en Ginny gaat bij hen zitten.

Zo ging het ook toen onze kinderen nog klein waren: ouders die af en toe bij elkaar kwamen voor muziekuitvoeringen, toneelstukken, wedstrijden, basketbal, peanutbal. Na mijn baan bij *The Washington Post*, en voordat ik bij *The New York Times* ging werken, hebben we nog een jaar lang op het platteland van Vermont gewoond, waar we in tochtige gymzalen zaten te juichen toen Carl het winnende jumpshot scoorde in een plaatselijk basketbaltoernooi en Amy alle vier de punten maakte voor een wedstrijd op de basisschool. John zat toen nog in de kinderwagen. In Bethesda gaat het net zoals Ginny al eerder zei: ze leidt het leven van Amy. Met de ene moeder maakt ze plannen voor een uitstapje naar de National Zoo, met de andere een afspraak om naar *Madagascar* te gaan. De vrouwen hebben het over de leerkrachten van hun kinderen. Ze prijzen, ze klagen, ze werken samen, ze roddelen.

Met Halloween gaan we naar de Burning Tree

School om de verklede Sammy, Jessie en de andere kinderen te bewonderen en naar de optocht te kijken. Jessies juf, Deirdre Salcetti, is een creatieve, gevatte blondine van in de veertig, wier glimlach uitdrukt dat je in haar nabijheid niets kan gebeuren. Ze heeft het lijf van een turnster. Ze geeft de yogalessen. Vandaag is ze als bij verkleed, met voelsprieten op haar hoofd, doorzichtige vleugels en een naamplaatje waarop staat: DON'T WORRY, BEE HAPPY. Mevrouw Salcetti staat voor de klas en zegt: 'Ik begin pas als iedereen stil is.' De kinderen maken zich op om zich aan de bezoekers te vertonen.

Een meisje dat verkleed is als Indiana Jones komt naar voren en vertelt wie ze is. Een ander meisje is een Jedi. Katie, die geen haar heeft, is een tovenaar. Ik was in de veronderstelling dat ze voor kanker wordt behandeld, maar krijg te horen dat ze een erfelijke aandoening heeft. Haar gezicht is schrikbarend bleek. Ze glimlacht gemakkelijk. Een meisje dat Amy heet is een heks met een kat en een bezem.

'Ga je later op je bezem vliegen?' vraagt mevrouw Salcetti.

'Ik ben een goede heks,' zegt Amy.

Daar komt Dorothy, met haar Toto in haar mandje

en haar glanzende rode schoentjes aan haar voeten. Ze klikt drie keer haar hakken tegen elkaar. Daar komt Michael, de Incredible Hulk. Jaraad is een buitenaards wezen met een groen gezicht. Daar komen anderen: een Tootsie Roll, een Eloise, een Uncle Sam, een bruid van Frankenstein met een witte streep in haar haar. 'Ik moet beter kunnen zien met deze helm op,' zegt een ander personage uit *Star Wars*. Ik vraag aan een jongen met een Obama-masker: 'Ben je kandidaat voor het presidentschap?' Hij zegt: 'Nee.' Jessie verschijnt. Zelfverzekerd en krachtig meldt ze dat ze een Power Ranger is.

Er wordt aan de ouders en Ginny en mij gevraagd of we ons buiten willen opstellen voor de optocht. We lopen langs borden, leuzen en bemoedigende aforismen die de muren van de school sieren. En geschilderde hond laat een bal op zijn neus balanceren, met eronder de tekst: 'Niet iedereen kan alles doen, maar iedereen kan iets doen.' Ik zeg Andrew gedag, de autistische jongen die vorig jaar bij Jessie in de klas zat. Hij had een speciale leerkracht die hem hielp. Hij vroeg altijd aan me: 'Ben jij mijn vader?' Ik kan niet zeggen of hij me herkent, maar hij omhelst me wel.

Sammy's klas staat in een rij op de gang, begeleid

door Pam Merritt. Mevrouw Merritt heeft de zelfverzekerde, modieuze uitstraling van de lievelingstante en de voorname houding en de rokerige stem van een blueszangeres. Ze draagt rode gympen. Sammy is Ironman, zijn nieuwe favoriete superheld. Hij ziet ons staan en wuift.

Zigeuners, engelen, Spidermannen, Supermannen. Ze lopen in een rij langs de toeschouwers en laten de afgevallen bladeren opstuiven. Harris, die eerder uit zijn werk is gekomen, komt bij ons staan. Jessie en Sammy paraderen voorbij en beginnen te stralen wanneer ze hem zien. Vaders en moeders stappen naar voren om foto's te kunnen nemen. Kinderen poseren voor de muur van rode baksteen of onder de bomen met hun doffe herfstkleuren. Wanneer er een meisje verschijnt dat als Sherlock Holmes is verkleed, kijken Ginny en ik elkaar even aan. Toen Carl acht was en Amy vijf, hebben ze tijdens Halloween gigantisch ruziegemaakt over de vraag wie zich als Sherlock Holmes en wie zich als Dr. Watson zou verkleden. Carl zei: 'Ik ben de oudste, dus ik mag Holmes zijn.' Amy zei: 'Dr. Watson was de oudste, dus jij moet Watson zijn.' Ze verkleedden zich allebei als Holmes en noemden de ander een bedrieger.

Bubbies zingt mee met 'Peuterfavorieten' en doet er een dansje bij. Ginny doet het voor: 'Waar is Klein Duimpje, waar is Klein Duimpje?' Ze zingen samen: 'Hier ben ik, hier ben ik.' Ginny gebruikt de akelig precieze stem van een voormalige schooljuf. Ze kent alle handgebaren die bij het liedje horen. 'Hier ben ik.' Ze steekt haar duimen voor zich omhoog. 'Hoe gaat het met u, meneer? Uitstekend, dank u wel.' Ze beweegt haar duimen heen en weer, alsof die met elkaar praten. 'Ren weg, ren weg.' Ze verbergt haar duimen achter haar rug. Bubbies is al even gefascineerd als ik.

'Hoe weet je dat allemaal?' vraag ik.

'Het zit in mijn systeem,' zegt ze. 'Eng, hè?'

Ik heb de neiging te doen wat Bubbies zegt, maar Harris praat tegen hem alsof hij halverwege de twintig is. (Hij is hem, nu hij naar school gaat, ook James gaan noemen, en na enig verzet volg ik doorgaans dat voorbeeld.) Op een zondagochtend, voordat ik mijn spullen ging pakken voor mijn rit naar Quogue, zat James op zijn gebruikelijke plek aan de keukentafel en zei tegen de anderen waar die volgens hem moesten gaan zitten. Dat doet hij wel vaker. Als je ergens gaat zitten waar dat volgens hem niet mag, beweegt hij zijn gebalde vuist op en neer. 'Daar zitten', op een andere plek. Alleen hij lijkt te weten waar iedereen hoort. Die och-

tend was Ginny op de verkeerde plek gaan zitten, en dus trok James van leer. 'Mimi hier zitten!' Hij wees naar de andere kant van de tafel. Harris kwam binnen en zei tegen hem: 'Het maakt niet uit waar iedereen zit.' Door de nonchalante toon van Harris' opmerking bleef ik gedurende het grootste deel van mijn rit zitten lachen. Aan het einde van de middag belde ik Harris vanuit Quogue. 'Besef je wel,' zei ik, 'dat je James van ongeveer zestig procent van zijn gespreksstof berooft als je hem verbiedt om de zitplaatsen te verdelen?'

'Dat kan best zijn,' zei Harris, 'maar hij heeft de hele dag nog niemand verteld waar die moest gaan zitten.'

'Boppo! Kijk eens!' Jessie laat me haar nieuwe boek met wereldrecords zien. 'De Yankees staan er ook in!' Ik zeg: 'Ja, en? Hoe vaak hebben de Yankees de World Series gewonnen?' Ze hoeft niet eens te kijken. 'Zesentwintig keer,' zegt ze. 'En daarom,' zeg ik tegen haar, 'mag je nu je spullen pakken. We gaan een weekend naar Parijs!' Ze houdt haar gebalde vuisten langs haar zijden, alsof ze koffers draagt, en draaft naar de voordeur.

‘Weet je, Jessie, toen ik een kleine meid van jouw leeftijd was...’

‘O, Boppo!’

Mijn werklast voor de herfst valt mee, ik hoef slechts twee colleges te geven. Op maandag geef ik moderne poëzie aan hogerejaars op de hoofdcampus van Stony Brook aan de noordkust van Long Island, en op dinsdag is het tijd voor het college romanschrijven voor masterstudenten op de campus in Southampton, die op een kwartier rijden van ons huis ligt. Kevin komt elke dinsdagmorgen langs voordat ik naar mijn werk vertrek, en dan zitten we samen in de keuken te praten. Hij wil nooit koffie of iets te eten. We zitten tegenover elkaar aan tafel en hebben het over de Yankees, de Mets en de Jets (de enige ploeg waarover we het eens zijn), of wat er toevallig speelt. We bellen elkaar ook geregeld.

Ik kom uit een gemeenschap van praters. Hij niet. ‘Geloof je in mediums?’ vraagt hij op een ochtend. Ik zeg van niet, maar niet op afwijzende toon, omdat duidelijk is dat Cathy en hij erin willen geloven. Cathy bezoekt af en toe een medium, dat haar in contact brengt met Stephen. Cathy heeft het gevoel dat de geest van

Stephen in de buurt is en over het gezin waakt. Ze zegt dat de lampen in huis vanzelf aan- en uitgaan om de aanwezigheid van Stephen aan te geven. 'Ik ben naar Stony Brook gegaan om zelf te zien waar hij heeft rondgelopen, en ik wist dat hij bij me was,' zei Kevin. Ik luister alleen maar. 'Ik blijf het abonnement van zijn mobieltje betalen,' zegt hij, 'alleen maar om zijn stem te kunnen blijven horen.'

Shirley Kenny, de rector van Stony Brook, is voor het gezin Starkey even vriendelijk en attent als ze voor ons is geweest. Pas na de dood van Amy hoorde ik dat de zoon van het echtpaar Kenny ook is overleden. In de loop van het jaar hebben we van zo veel mensen gehoord dat ze zelf ook ooit een kind hebben verloren, zowel oud als jong; sommige vrienden en kennissen die we al jaren kenden, hebben er nooit meer met een woord over gerept, alsof ze tot een geheim genootschap behoorden.

Kevin komt ook langs wanneer ik er niet ben. Na het voltooien van het speelhuis is hij met andere aanpassingen begonnen, zoals een verbouwing op de tweede etage, zodat we Ligaya 's zomers een comfortabel onderkomen kunnen bieden, en het stutten van het afbrokkelende plafond in de kelder, wat inhield dat hij een groot deel van de terrasvlonders erboven moest vervangen. Ik heb tegen hem gezegd dat ik een hekel aan zulke reparaties heb omdat niemand kan zeggen hoeveel geld het gaat kosten. Hij zei dat hij een plaatje op het terras zou bevestigen waarop de kosten vermeld staan. Vaak komt hij alleen maar even kijken of alles in orde is.

Vandaag maakt hij zich zorgen over zijn collega-bouwvakkers en -aannemers op Long Island. 'Er wordt niets gebouwd, er zijn nergens timmerlieden nodig. De houtzagerij in Riverhead heeft de helft van de werknemers ontslagen,' zegt hij. Hij weet niet of zijn vrienden de recessie zullen overleven. 'Denk je dat Obama kan helpen?' vraagt hij. Ik zeg ja. We blijven even zwijgend zitten. Hij zegt: 'Had ik je al verteld dat ik een video heb gezien van Stephen die trommel speelt in het universiteitsorkest?'

Onder normale omstandigheden vind ik het niet echt nodig dat studenten op de hoogte zijn van het privéleven van hun docenten, maar ik heb de mijne met opzet verteld over Amy en de situatie in het gezin. De studenten hebben geruchten gehoord, en mijn uitleg klaart de lucht en vermindert de kans dat ze overdreven veel belangstelling voor mij opvatten in plaats van voor de leerstof. Ik heb geen zin om de rol te spelen van de docent die wordt gekweld door een onuitsprekelijk verdriet. Ik wil vooral dat ze beseffen dat we allemaal in hetzelfde schuitje zitten. Ze hebben allemaal wel een of andere vorm van verdriet ervaren. Ik vertel hun slechts één keer over Amy.

Ik ben op de studenten van dit trimester gesteld, en dat zorgt voor betere colleges: we houden vrijere, verregaande discussies, met ruimte voor verrassingen. Op een dag maakte een bedachtzame, stille jonge vrouw tijdens het college moderne poëzie een opmerking over de metafysische dichters. Zomaar opeens zei ze: 'Ik hou niet van John Donne.' Ik hou niet van John Donne? 'Hij heeft niets origineels te zeggen,' zei ze. Ik bracht het argument van 'vorm redt inhoud' te berde, maar ze liet zich niet overhalen, en ik moest bekennen dat ze in zekere zin gelijk had.

Aan het begin van november behandelden we Anne Sexton. Ik had nooit een hoge dunk van Sexton gehad en vond haar de mindere van tijdgenoten als Sylvia Plath en Adrienne Rich. Maar de studenten en ik verdiepten ons in 'The Truth the Dead Know' en ik vond het gedicht beter dan in mijn herinnering. 'Deze zin,

“In een ander land sterven mensen”. Wat betekent dat?’ vraag ik aan de studenten. Een jongeman zegt: ‘Dat betekent dat de dood iets is wat anderen overkomt.’

‘Wat is de overeenkomst tussen “chaos” en “orchidee”?’ vraag ik tijdens het ontbijt aan Jessie en Sammy. (Het woord van de ochtend is ‘orchidee’. Gisteren was het ‘chaos’.) Geen antwoord. ‘Denk eens aan de ch,’ zeg ik tegen hen. Jessie zegt: ‘Die spreek je in alle twee die woorden uit als een “g”.’ Sammy zegt: ‘Maar je kunt toch ook “orsjidee” zeggen?’ Ik glimlach.

Telkens wanneer ik naar New York kom, eten John en ik ’s avonds met elkaar. Hij spreekt met een zekere bijzondere melancholie over Amy. Amy en Carl scheelden minder dan drie jaar met elkaar en waren close zoals broers en zussen dat kunnen zijn. John had op een andere manier een hechte band met haar. Omdat ze negen jaar ouder was, speelde ze afwisselend de rol van beschermster, onderwijzeres en maatje. Nadat Carl het huis uit was gegaan om te studeren, sloegen ze de handen ineen. Ze luisterden naar dezelfde muziek. Ze keken hondstrouw naar *Beverly Hills 90210* en *Melrose*

Place en verboden mij mee te kijken omdat ik te veel opmerkingen maakte die gelijkstonden aan heiligschennis. Een enkele opmerking was al te veel. Ze speelden het videospel *Sonic the Hedgehog*. Toen John nog klein was, plaagde Amy hem altijd. 'Waarom geef je je mening? Je bent niet eens een persoon.' Amy leerde John de voordelen van zeggen waar het op staat, en hoe waardevol vrienden kunnen zijn. Hij is niet alleen bevriend gebleven met degenen die hij tijdens zijn studie en op de middelbare school heeft leren kennen, maar ook met klasgenoten van de lagere school. Ginny en ik hebben een foto waarop ze allebei staan, likkend aan hetzelfde ijsje in Central Park. Op de foto was Amy twaalf en John drie.

Hij zegt nog minder over wat hij voelt dan Harris en ik, al zal hij toegeven dat hij het net zo ervaart wanneer ik toegeef dat ik me soms verdrietig voel wanneer ik aan Amy denk. Hij is zo gesloten dat de paar woorden die iets over hemzelf verraden meteen een enorme betekenis krijgen. Wanneer we een paar weken na Amy's dood in ons vaste Japanse restaurant zitten te eten, zegt hij: 'Ik denk niet meer elke dag aan haar, en daar voel ik me schuldig over.' Op de donkere, koude ochtend van Amy's begrafenis zijn we ieder naar de kist gelopen, die nog steeds boven de grond stond. John is daar heel lang blijven staan en fluisterde een dankwoord aan haar, vertelde haar hoeveel ze voor hem had betekend.

Amy's dood heeft misschien ook een gunstig effect op hem gehad: John is moediger geworden. De afgelopen paar jaar heeft hij als jurist in opleiding aan dat vak kunnen snuffelen. Op het kantoor waar hij werkt wordt hij gewaardeerd, en hij ontleent ook wel genoegen aan zijn werk, maar ze zijn daar ook gaan beseffen dat hij andere ambities heeft, dat hij meer met zijn kritische humor wil doen. Hij heeft altijd al willen schrijven. Sinds de dood van Amy heeft hij zijn eerste toneelstuk voltooid, een venijnige satire over zijn generatie.

25 november, een vochtige, koele ochtend in Quogue. Ginny belt me mobiel wanneer ik net de parkeerplaats van het postkantoor op draai. Ze zegt dat James gisteravond in Harris' armen heeft liggen huilen. 'Mama,' zei hij, alsof hij haar riep. 'Wanneer komt mama thuis?' Zoiets heeft hij nog nooit gezegd. Hij begon net te praten toen Amy overleed. Heeft hij al die tijd gedacht dat ze gewoon weg was? Ginny zegt dat Harris hem heeft

verteld dat mama dood is en niet meer thuiskomt, en de volgende ochtend leek er niets aan de hand te zijn. Meteen nadat we hebben opgehangen word ik gebeld door een vriend. Hij vraagt waar ik ben. Ik zeg dat ik even moet kijken om het zeker te weten. Hij denkt dat ik een grapje maak.

In onze familie is het, zoals in zo veel families, de gewoonte om een telefoongesprek te besluiten met 'Hou van je'. 'Hou van je', zangerig uitgesproken, op en neer als drie muzieknoten. Amy en ik belden elkaar twee tot drie keer per week. Er was zelden sprake van wereldschokkende gesprekken. Af en toe vroeg ze me om goede raad: of ze langer of korter moest werken, en of ze een geval van onrechtvaardigheid op haar werk aan de kaak moest stellen. Soms vroeg ik haar of ze iets wilde lezen wat ik had geschreven, net zoals ik bij andere familieleden deed. Maar we hadden het meestal over de kinderen, of maakten plannen voor een komend bezoek. Een week voor haar dood hadden we het er een paar keer over dat we met Kerstmis naar Bethesda zouden komen. 'Hou van je.'

Carl en Wendy zeggen 'Hou van je', en hun zoons en Jessie en Sammy ook. Ook Bubbies zegt het nu. 'Hou van je.' 'Ik ook van jou.' Hetzelfde geldt voor Harris. De laatste tijd zeg ik het niet alleen tegen familie, maar ook tegen bepaalde vrienden. Onze gesprekken gaan op en neer, en ik wacht op het moment dat ze hun vanzelfsprekende einde naderen. 'Hou van je.' Ik voel tegenwoordig sterker de neiging dat te zeggen en ben doorgaans de eerste.

Gesprekken uit de ruimte. 'Papa!' zegt Sammy wanneer Harris na een extra lange dag op zijn werk thuiskomt. 'Ik vind pinguïns geweldig! Ik vond ze altijd vreselijk, maar nu vind ik ze te gek!' 'Hoe komt dat dan?' vraagt Harris. 'Omdat ik heb gehoord dat pinguïns vijanden hebben!' zegt Sammy. 'En daarom vind je ze te gek?' vraagt Harris. 'En ik dacht altijd dat ze maar op één plek woonden,' zegt Sammy, 'maar ze wonen op het strand en op de rotsen!'

Jessie tegen Ginny, onderweg in de auto: 'Mimi! Wat zou je leuker vinden? Een diner op het Witte Huis of picknicken met je kleindochter?' 'Picknicken met mijn kleindochter,' zegt Ginny. Jessie balt haar vuist en laat haar arm zakken. 'Ja!'

'Boppo!' zegt Sammy, die me een klasgenootje wil voorstellen dat bij hem komt spelen. 'Dit is Cameron!

Hij is Chinees! Hij eet insecten!' Cameron knikt glimlachend. 'En bijen!' zegt Sammy. 'Hij maakt ze eerst dood en eet ze dan op!'

We krijgen Bubbies' eerste rapport van de Geneva School: 'James Salomon. Geboortedatum: 20-9-2006. Twee ochtenden per week, mw. Franzetti. Herfst 2008.' Maria Franzetti is ook de juf van Jessie en Sammy geweest. Ze is beeldschoon, slank, met donkere ogen en de stem van een jong meisje, waarmee ze de r's op een Latijnse manier laat rollen. Ze kan behoorlijk goed zingen. Ze schrijft: 'James was heel snel gewend. Hij komt altijd vrolijk lachend binnen. Hij neemt snel afscheid van zijn oma, bergt zijn spulletjes op en gaat dan naar de keuken om de [speelgoed]honden te zoeken en [speelgoed]boterhammen voor ons te roosteren. Hij is erg spraakzaam en doet graag mee aan activiteiten. Hij neemt alles in zich op. Hij doet graag de juffen na.' Ongeveer een week later brengen Jessie en Sammy hun rapporten mee naar huis, en die zijn fantastisch. Mevrouw Salcetti en mevrouw Merritt lijken, net als mevrouw Carone, meneer Bullis en mevrouw Franzetti vóór hen, een diepe genegenheid voor Jessie en Sammy te voelen; niet vanwege alles wat de kinderen hebben meegemaakt, maar om wie ze zijn. Harris, Ginny en ik lezen de rapporten hardop voor. 'Mama zou heel trots op jullie zijn geweest,' zeggen we tegen hen.

Op 6 december bezoeken Ginny en ik de begraafplaats zonder de anderen. We gaan op een zaterdag. 8 december viel vorig jaar op een zaterdag. Maandag zal de sterfdatum zijn. Het verschil van twee dagen is te verklaren door het feit dat dit een schrikkeljaar is. Harris en de kinderen gaan morgen naar het graf, net als Carl en Wendy. We willen er geen van allen op de dag zelf bij stilstaan. We geven er de voorkeur aan Amy op haar verjaardag te herdenken, en het ligt niet voor de hand dat Ginny en ik volgend jaar, of in de jaren daarna, rond deze tijd naar de begraafplaats zullen gaan.

Het is net boven het vriespunt, de begraafplaats is verlaten, de dennen zijn behangen met schaduwen. Wanneer we naast elkaar op het vertrouwde plekje staan, huilen we geen van beiden. We staren naar de bodem. Ik maak twee vingers nat en veeg wat vogelpoep van de hoek van de grafsteen. Ginny heeft een bosje bloemen voor in de houder meegebracht. We zeggen niets en blijven een minuut of vijf staan, misschien wel tien. 'Zeg het maar wanneer je klaar bent om te gaan,' zeg ik. Ginny wendt zich af en zegt: 'Nu.'

Nog een eigenschap van kinderen die ik was vergeten: ze doen niets liever dan je minst aanlokkelijke eigenschappen imiteren. Vooral sarcasme is erg aantrekkelijk, aangezien daarvoor zowel behendigheid als moed nodig is. Ginny heeft Jessie zojuist voor de vierde keer gevraagd of ze nog meer pannenkoekjes wil. Haar vasthoudendheid is indrukwekkend, maar kan ook verdomde lastig zijn. In al die zesenveertig jaar dat we getrouwd zijn, is ze me thee blijven aanbieden, en ze krijgt altijd hetzelfde antwoord. De laatste tijd ben ik gaan antwoorden wat de aandoenlijke mislukkeling in *Nobody's Fool* altijd op hetzelfde aanbod antwoordt: 'Niet nu, maar nooit.' Ginny zegt: 'Wil je nog meer pannenkoekjes, Jess?' Jessie kijkt me aan met een ondeugende, vrolijke blik in haar ogen. 'Mimi,' zegt ze. 'Op hoeveel manieren moet ik nee zeggen?'

Ginny's kijk op het leven is misschien niet zo onmiskenbaar zonnig als op het eerste gezicht lijkt, maar wat betreft zaken als thee en pannenkoekjes blijft ze optimistisch. Tijdens de surpriseparty die we vorig jaar ter gelegenheid van Ginny's verjaardag hebben georganiseerd, vrolijkte Wendy haar toespraak op met een verhaal over de keer dat ze met Thanksgiving een blauwebessentaart op een te hoge temperatuur in Amy's oven had gebakken en de korst helemaal zwart was geworden. Ginny had tegen Wendy gezegd dat ze zich niet druk moest maken. 'Het smaakt gewoon naar crème brûlée,' had ze gezegd.

Op zaterdagavond gaan Harris en ik uit eten bij een Indiaas restaurant in Bethesda. We drinken een paar glazen rode wijn en praten over wat er in ons opkomt: de familie, de basketbalwedstrijd tussen Georgetown en Memphis die we die middag hebben gezien, Amy, een beetje. De relatie tussen schoonouders en schoonzoons of -dochters is niet logisch. Het kind van wie jij houdt, kiest voor degene van wie hij of zij houdt, en daarna is het aan jou en die persoon. Ginny en ik hebben een goede band met Harris en Wendy, maar we voelen ons geen ouders, en ook geen vrienden: we zijn met elkaar verbonden door de aan- of afwezigheid van een derde. De herinneringen aan Amy verbinden Harris en mij meer met elkaar dan toen ze nog leefde.

Er is nooit sprake van enige onenigheid tussen ons geweest aangaande de kinderen, alleen wat plagerijtjes. Toch kunnen we op andere vlakken heel bedreven de degens kruisen. Hij herinnert me aan zo ongeveer elke vorm van onhandigheid die ik bezit. Ik herinner hem eraan dat hij al zes jaar de verkeerde diagnose stelt waar het mijn gebroken rechterduim betreft. Iedereen ziet dat die gebroken is. En het doet verschrikkelijk zeer. Het maakt niet uit hoe vaak ik klaag, hij blijft zeggen dat het artritis is. Het is tegenwoordig blijkbaar een koud kunstje om handchirurg te worden.

Vorige week verraste hij iedereen door met een nieuw schilderij thuis te komen. Hij beende naar binnen en hing het op in de tv-kamer, boven de bank. Het is een schilderij van een zonsondergang in een winters landschap. De bomen zijn zwart en kaal. Een bevroren riviertje tussen twee heuvels voert naar een kale akker. Het lijkt wel of de rode hemel in brand staat. Een tijdje geleden is hij thuisgekomen met een grote ingelijste foto van Mohammed Ali die half ineengedoken in bokshouding voor een spiegel in een sportzaal staat en bewonderend naar zichzelf kijkt. Er stonden kreten op de afbeelding, zoals: 'Kampioen word je door iets wat diep vanbinnen zit', en: 'Wilskracht telt zwaarder dan brute kracht.' Die heeft hij in de gang gehangen. Hij heeft ook de keukentafel anders neergezet. Die stond vroeger parallel aan het werkblad dat de keuken van de tv-kamer scheidt, maar nu staat hij er haaks op. Ik denk dat hij probeert om alles anders te laten lijken, of in elk geval minder statisch.

Toch lijkt hij een verband te willen leggen tussen de dingen die zijn veranderd en de dingen die hetzelfde zijn gebleven. Tijdens dat liefdadigheidsdiner dat Amy en hij bezochten, heeft de cartoonist hen getekend zoals cartoonisten dat altijd doen, met veel te grote hoofden en te kleine lijven. Ze dragen allebei badkleding en Harris heeft Amy in zijn armen, in de klassieke houding van een strandwacht. Hij heeft de tekening laatst laten inlijsten en hem op de overloop op de eerste verdieping aan de muur gehangen, naast karikaturen van de drie kinderen, die onlangs zijn gemaakt. Wanneer je de trap op of af loopt zie je het hele gezin intact.

Soms zou ik willen dat hij en ik even gemakkelijk over emotionele zaken zouden kunnen praten als we grappen met elkaar kunnen maken. Maar omdat hij altijd zo de nadruk op het positieve legt, wat voor hem erg nuttig is, is het voor hem moeilijk om opeens van insteek te veranderen, ook al zou hij dat willen. En ik ben er niet veel beter in. Ik denk dat ik de donkere symbolen eerder zie dan hij. Maar ik ben niet geneigd om met anderen dan Ginny over mijn gevoelens te praten, en zelfs met haar spreek ik er slechts zelden over. Het is goed voor ons dat onze levens in beweging zijn, dat voorkomt dat we wegzakken. Als we kunnen kiezen tussen praten over ons verdriet, hoe bevrijdend dat misschien ook mag zijn, en gewoon doorgaan, dan kiezen we voor het laatste. Ik hoop alleen maar dat Harris niet langzaam kapotgaat aan het verdriet over Amy's dood. Er is niets aan hem te zien, maar bij gelegenheden waar Amy vroeger het stralende middelpunt was, kan hij zijn verlangen niet verbergen. Zijn gezicht is verstrakt. Ik hoef zijn vader niet te zijn. Hij heeft zelf een prima vader. Maar ik kan er niets aan doen dat ik me zorgen over hem maak, net als een vader.

Na bijna een jaar vragen Ginny en ik ons af of we Harris moeten vragen of hij wil dat we nog langer blijven. Wij willen dat heel graag, en we zijn er vrijwel zeker van dat hij ja zal zeggen. Maar we durven het hem niet te vragen omdat we beslist niet de indruk willen wekken dat we liever weg zouden gaan. Dit is ons leven. Zonder Harris en de kinderen zouden we in Quogue zitten, met niets omhanden, en ons best moeten doen om de donkere stiltes met gesprekken te vullen. Ik weet dat we niet alleen afleiding aan de kinderen bieden, maar dat we hun ook een leven bieden dat anders is ingericht. En dat geldt ook voor onszelf. Toen Amy stierf, hoefden Ginny en ik niet eens te praten over waar we wilden en moesten zijn. We vroegen het Harris, maar niet elkaar. Moeten we het hem nu opnieuw vragen? We nemen aan dat hij het ons wel zal vertellen als hij wil dat we vertrekken. En totdat het zover is, blijft het antwoord dat ik Jessie aanvankelijk gaf, 'voorgoed', gewoon gelden. Mocht er ooit een nieuwe vrouw in Harris' leven komen, en we hopen dat dat ooit zal gebeuren, dan zijn we er zeker van dat hij een verstandige keuze zal maken. Als dat gebeurt, hoeven we ook niets te vragen.

Mevrouw Salcetti vraagt of ik naar school wil komen om Jessies klas iets over schrijven te vertellen. Daaruit maak ik op dat ze het niet met mevrouw Carone over mijn eerdere ervaringen heeft gehad. Ik ken Luxmi, Arthur en Jaraad nog uit de klas van vorig jaar. Ik zeg tegen de kinderen dat ik al hun namen uit mijn hoofd heb geleerd en voor ieder van hen een nieuwe naam heb verzonnen, dat ik de jongens Phyllis ga noemen en de meisjes Ralph enzovoort. Het duurt tien minuten voordat hun kreten van protest zijn verstomd. Ik kijk even naar mevrouw Salcetti. 'Ben ik al klaar?' vraag ik. Ze glimlacht en wijst naar de klok. 'Nog maar veertig minuten,' zegt ze.

Op haar aandringen vertel ik de klas de plot van mijn eerste roman, *Lapham Rising*, in enigszins gekuiste vorm maar wel trouw aan de details. Natuurlijk lopen ze ver op me voor. Ze analyseren de personages die ik slechts oppervlakkig beschrijf, wijzen op mogelijke nuances. Ze leggen het thema van mijn boek aan me uit. Ik word heel bedreven in knikken. Ik laat hen aan een eigen roman beginnen. 'Schrijf de eerste zin,' zeg ik. 'En vergeet niet dat je meteen de belangstelling van de lezer moet zien te wekken.' Jessie schrijft: 'Er was eens een klas die de braafste klas van de hele wereld was.' Ik vraag aan de kinderen: 'Als jullie die eerste zin horen, wat gebeurt er volgens jullie dan verder in Jessies roman?' Ze brullen bijna allemaal: 'Ze gaan iets stouts doen!'

Omdat het me wederom duidelijk wordt dat ik hun helemaal niets over schrijven kan leren, besluit ik de klas opnieuw voor te gaan in een opzwepend refrein van 'De Grote Boppo'. Ze zingen het met zo veel geestdrift dat ik er bijna tranen van in mijn ogen krijg. Ik laat het hen nog eens zingen, nu nog harder, in de hoop dat Sammy ons zal horen.

Wanneer ik tijdens een andere dag op Burning Tree een bezoek aan de klas van Sammy breng, besluit ik eerst even bij Jessies klas langs te gaan om gedag te zeggen. Haar klasgenootje Arthur ziet me al op de gang, rent vooruit en roept: 'Daar is Boppo!' De vrienden van Jessie en Sammy noemen me allemaal Boppo. Hun leerkrachten ook. Op een middag stond ik naast mijn auto te wachten totdat Jessie uit school kwam en ik haar naar pianoles kon brengen. Een lerares die ik verder niet kende, riep: 'Boppo! Komt u Sammy ook ophalen?' Ik ben Boppo geworden, zelfs op de school van Bubbies, waar het hoofd me heeft gevraagd of ik op een ochtend Dr. Seuss wilde spelen om diens geboortedag luister bij te zetten. Ik heb in een schommelstoel gezeten, met een slappe hoge hoed met rode en witte strepen op mijn hoofd, en kinderen van twee en drie jaar oud voorgelezen uit *De kat met de hoed*. Wat zou het leuk zijn geweest om Amy op dat soort momenten te kunnen zien, staand aan de rand van de klas, met haar handen in haar zij en een geamuseerde frons op haar gezicht. Haar vader, Boppo de Luide en

Absurde. Boppo die Boppo is. Na een bezoek aan Burning Tree wandelde ik de geasfalteerde parkeerplaats

op, die lag te blakeren in het zonlicht en vol geparkeerde auto's stond. Alles was doodstil. Niemand te zien, behalve de Grote Boppo.

Ik ben met Carl aan het winkelen en vraag hoe het met hem gaat. Het gaat goed met de jongens, die verheugen zich op de baby die onderweg is. Wendy is nu zes maanden zwanger. Ze krijgt weer een jongen (Jessie heeft dit nieuws dapper verdragen). Wendy heeft te weinig bloedplaatjes, net als toen ze zwanger was van Andrew en Ryan, maar ze staat onder controle. 'Maak je geen zorgen, pap,' zegt hij. Ze zijn van plan een groter huis te kopen. 'En hoe is het met jou? Wat betreft A?' vraag ik. Net als Ginny zet hij zichzelf op de laatste plaats. Hij zegt dat hij het af en toe te kwaad krijgt, zeker wanneer hij in de auto zit. De kerstliedjes worden hem vaak te veel. 'Maar één of twee keer per maand luister ik naar dat berichtje over kerstcadeautjes dat A voor Wendy heeft ingesproken, en dat helpt heel veel. Mam heeft het ook gehoord. Wil jij het ook horen?' Nog niet, zeg ik tegen hem.

Carl vertelt een verhaal over Andrew, die bijna zes wordt. Andrew is veeleisend en erg hard voor zichzelf. Als hij zijn naam ergens moet opschrijven en een letter verkeerd zet, gumt hij alles uit en begint opnieuw. Of hij pakt zelfs een ander vel papier voor een nieuwe poging. Carl verzekert hem ervan dat 'iedereen wel eens een foutje maakt', maar daar wil Andrew niet aan.

Toen hij op een middag zat te tekenen, raakte hij heel erg gefrustreerd toen hij zijn naam onder zijn tekening wilde zetten en de letters helemaal verkeerd op het papier kwamen. 'Iedereen maakt wel eens een foutje,' zei Carl. 'Eric Carle niet,' zei Andrew, met een verwijzing naar de schrijver en illustrator van zijn allereerste boek, *Beertje Bruin, wat zie jij daar*? 'De tekeningen van Eric Carle zijn altijd goed.'

'Tegen de tijd dat het boek uitkomt en wij ze zien, ja, dan zijn ze goed, want dan zijn alle fouten verbeterd,' zei Carl. 'Iedereen maakt weleens een foutje.'

Ryan, die vlakbij zat te spelen, kwam tussenbeide: 'God niet. God maakt geen fouten.' Andrew zei: 'Jawel. Met tante Amy.'

Er is enige tijd verstreken sinds mijn eerste telefoontje naar de NYU School of Medicine. Decaan Grieco vertelt me dat er tot nu toe een kwart miljoen dollar in het fonds ter nagedachtenis van Amy is gestort en dat er wordt verwacht dat dat bedrag elk jaar vijf procent zal opbrengen. Alan en Arlene Alda, oude vrienden van de familie, hebben een aanzienlijke schenking gedaan. Ik weet dat er nog meer geld binnenstroomt omdat vrienden ons hebben verteld dat ze elkaar bij wijze van kerstcadeau een donatie aan het fonds hebben geschonken. 'Ik wou dat we in plaats daarvan Amy terug konden krijgen,' zegt hij.

Ik vraag hem of we te horen krijgen wie de ontvangers van de eerste beurzen zullen zijn. De eerste uitkeringen zullen aan het einde van januari 2010 plaatsvinden. Hij zal navraag doen bij de afdelingen Inschrijvingen en Financiële Ondersteuning, en het me dan laten weten. Hij vertelt dat er in het voorjaar een receptie voor donateurs zal worden gehouden op het instituut. Hebben we zin om ook te komen? Ja, graag.

'Boppo, ik weet een raadsel,' zegt Jess. 'Een man komt op vrijdag aan, blijft twee dagen, en gaat op vrijdag weer weg. Hoe kan dat?'

'Vrijdag is een paard,' zeg ik.

'Oké,' zegt ze, 'ik weet er nog een. Drie mannen zitten in een boot en vallen in het water. Maar twee mannen krijgen nat haar. Hoe kan dat?'

'Vrijdag is een paard,' zeg ik.

'Oké,' zegt ze.

James wordt om tien uur 's avonds wakker en roept: 'Papa.' Hij kijkt niet blij wanneer ik zijn kamer binnenkom en hem optil en mee naar beneden neem. 'Papa!' zegt hij. Ik zeg tegen hem dat papa met vrienden uit eten is en dat hij weldra thuis zal komen. Hij mompelt zwakjes: 'Papa', maar raakt niet in paniek. Afgelopen winter kon James urenlang huilen, totdat hij de uitputting nabij was, wanneer hij wakker werd en ontdekte dat Harris er niet was. Nu uit hij slechts mompelend zijn ongenoegen, al blijft hij gespannen. 'Horen we garage?' vraagt hij, waarmee hij wil vragen of Harris via de garage binnen zal komen zodra hij zijn auto heeft geparkeerd. We kijken door het raam aan de voorkant om te zien of Harris er al aan komt, en dan legt hij zijn hoofd op mijn schouder. We luisteren, wachtend op geluiden uit de garage.

Voor Ginny is het zwaarder dan voor mij als de kinderen er niet zijn, want ik ben meer gewend aan de bijverschijnselen van eenzaamheid. Ik heb misschien wel te veel tijd voor mezelf, maar Ginny, en Harris, hebben te weinig. Zij en ik gaan samen naar New York om bij oude vrienden thuis te eten. Het is maanden geleden dat we voor het laatst zoiets hebben gedaan. Op de ochtend van het etentje zit Ginny aan het uiteinde van de bank, met haar gezicht naar het raam. Ik vraag haar waaraan ze denkt, niet aan wie. Ze zegt dat ze aan een middag moet denken toen Amy nog op de middelbare school zat en ze samen flink aan het shoppen waren geweest bij Saks. Er had een rijtuigje voor het warenhuis gestaan. 'We besloten in te stappen en ons zo naar huis te laten brengen,' zei Ginny. 'Het was een malle opwelling.'

Ze is bang dat Jessie, die nu zonder moeder zal opgroeien, nooit zulke dingen zal meemaken. Toen Amy eenentwintig werd, vroeg Ginny aan dertig van haar vriendinnen of die een brief voor Amy wilden schrijven waarin ze haar vertelden wat het betekent een vrouw te zijn. Zelf schreef ze ook een brief, en ze bundelde alle bijdragen in een fraai boek ter grootte van een fotoalbum, met hoesjes op de pagina's, zodat de brieven er een voor een uit gehaald konden worden. 'Jessie zal al die moeder-dochterdingen nooit kennen,' zei Ginny.

'Ze heeft jou,' zeg ik tegen haar. 'Jij bent met Jess naar New York geweest, naar *De Notenkraker*, net als je met Amy hebt gedaan.' Ginny wendt haar blik af. 'Dat is niet hetzelfde,' zegt ze.

Ze blijft een paar minuten zwijgen. 'Weet je wat Harris tegen me zei toen we elkaar op de dag van Amy's dood voor het eerst omhelsden? "Het kan niet waar zijn," zei hij. En dat is ook zo. Het kan niet. Het kan niet waar zijn.'

In de brief die Ginny voor Amy's eenentwintigste verjaardag heeft geschreven, zei ze dat ze altijd grote bewondering voor Amy's gevoel voor timing heeft gehad. Een uur voordat Ginny zou worden ingeleid, kondigde Amy haar komst aan. Ze merkte op dat Amy ook in stijl in het ziekenhuis in Boston was gearriveerd: Ginny en ik waren er in een auto van de politie van Harvard heen gereden. Die avond verlichtten studenten van Dunster House de toren; een van de weinige apolitieke festiviteiten in een lente dat Harvard door rellen werd geplaagd.

'Je vader en ik konden gewoon niet geloven dat we een meisje hadden gekregen,' ging de brief verder. Ginny had drie broers, ik één, en we hadden Carl al.

We dachten dat een jongen het enige was waartoe we in staat waren. 'De eerste reactie van je vader was: "We hebben geen meisjes,"' schreef Ginny, 'maar o ja, we hadden er wel degelijk een!' Toen ik Amy voor het eerst zag, weggestopt in dat kleine witte dekentje van het ziekenhuis, moest ik denken aan wat John Kelleher, docent Ierse studies aan Harvard en vader van vier meiden, me over vaders en dochters had verteld: 'Ieder meisje kijkt vanuit haar wiegje omhoog, ziet die ouwe van haar staan en denkt: sukkel.'

Ginny had in haar brief alle aanbiddelijke en eigenzinnige kanten van Amy belicht, en dus was het een lange brief. Het handschrift was zelfverzekerder dan Ginny's handschrift tegenwoordig is. Sinds de dood van Amy is het verslechterd; een van de weinige uiterlijke teken van haar verdriet. De brief besloot met: 'Ik hoop dat je werk vindt dat betekenis heeft. Ik hoop dat je een uiterst liefdevol huwelijk zult sluiten. Ik hoop dat je de schoonheid en voldoening zult leren kennen die bij het moederschap horen.'

Van het begin af aan heeft Ginny me verteld dat ze Amy's geest om ons heen voelt. Van tijd tot tijd heb ik die uitspraak tegenover de kinderen herhaald, maar ik heb Amy's geest zelf slechts heel vluchtig gevoeld. Mijn woede jegens God is niet afgezwakt, en misschien wil ik wel helemaal niet dat Hij verantwoordelijk is voor zoiets goeds en vriendelijks als de wakende aanwezigheid van mijn dochter. Ik weet dat mensen troost ontlenen aan de gedachte dat de doden vlakbij zijn. Het zou ook fijn zijn om te kunnen denken dat de doden gelukkiger zijn als ze vlak bij ons zijn. Maar ik ben eerder geneigd om Lewis Thomas' idee over het hiernamaals te geloven, dat is gebaseerd op het idee dat niets in de natuur verdwijnt, en verder hoeft het voor mij niet te gaan. De enige spirituele gedachte die bij me is opgekomen, is een soort gebed tot Amy waarin ik vertel dat we doen wat zij zou willen.

Tijdens Thanksgiving, dat we bij Dee en Howard thuis in Bethesda vieren, vroeg Howard me of ik voor het eten wilde bidden. Ik zei: 'Het beste wat ik over deze familie kan zeggen, is dat Amy waarschijnlijk tevreden over ons zou zijn geweest.'

Dan was er die middag waarop Ginny en ik op Union Station op John zaten te wachten. Hij zou de kerstdagen bij ons doorbrengen. We zaten in de auto en keken naar hem uit. Zijn trein was een paar minuten te laat. Ik voelde dat een hand mijn rechterpols aanraakte; niet zachtjes, zodat ik had kunnen denken dat het een briesje was dat aan mijn mouw trok, maar beslist, zoals een troostend klopje dat een ander je kan geven. Ik keek naar Ginny om me ervan te verzekeren dat zij het was, maar ze had haar gezicht van me afgewend en speurde tussen de menigte naar John. Ik hoopte dat ik die aanraking nog eens zou voelen, maar dat gebeurde niet. En sindsdien is het ook niet meer gebeurd. Misschien was het een kleine spiertrekking, een onwillekeurige beweging van mijn onderarm. Iets als een trilling.

Op een avond, wanneer de kinderen op het punt staan om naar bed te gaan, treft Ginny Sammy liggend op zijn rug op de vloer van Harris' studeerkamer aan. Hij heeft zijn armen uitgespreid, zijn tong hangt aan de zijkant uit zijn mond. Op de dag van Amy's dood was Sammy alleen met haar terwijl Jessie Harris ging halen. Hij probeerde Amy te laten ademen. Hij probeerde haar ogen te openen. 'Zo zag mama eruit,' zegt hij. 'Dat zal ik nooit vergeten. Ze was nog zo jong, er is nog nooit iemand zo jong doodgegaan.' Ginny bevestigt dat Amy nog heel jong was, en dat ze een geweldige moeder was. Sammy komt overeind en gaat naar bed.

De ouders van Wendy, Rose en Bob, brengen voor de kinderen een boek mee waar een bijna twintig centimeter hoge pop in de vorm van een kabouter bij hoort. Het boek legt uit dat de kabouter ergens in huis plaats zal nemen en het gedrag van de kinderen in de gaten zal houden, zodat hij verslag kan uitbrengen aan de Kerstman. De kabouter moet elke avond op een andere plek worden neergezet, een taak waarbij Harris, Ginny en ik een handje helpen. Hij draagt een rode puntmuts, heeft dunne beentjes en een stiekeme uitdrukking op zijn gezicht. Ik vind hem eigenlijk maar een klikspaan. Maar Harris merkt op dat de kinderen zich sinds zijn komst onberispelijk gedragen. Hij zou het verblijf van de kabouter graag willen verlengen, maar kan geen goede reden bedenken.

Op eerste kerstdag help ik Jessie haar kamerdeur en kastdeuren te beplakken met stickers van *High School Musical*. Deze ochtend gaat het gemakkelijker dan vorig jaar. Het nieuws dat we dit jaar niets zullen kopen heeft blijkbaar niet de kinderen van Clearwood Road bereikt. Naast de stickers krijgt Jessie ook boeken, een sneeuwbol, een karaoke-apparaat, heel veel kleren en haar eigen computer. Sammy, die kleren niet als cadeaus beschouwt, heeft een op afstand bestuurbare motorfiets met berijder gekregen, plus een Mars Missie-set van Lego, op afstand bestuurbare Air Hog-helikopters die iedereen in huis de stuipen op het lijf jagen en, voor de Wii, een Mario-honkbalspel en een *Star Wars*-spel waarmee hij enorm veel kan winnen en alles in een oogwenk weer kan verliezen. De Wii is een verbazingwekkend inventief apparaat, dat op een unieke, verslavende manier duidelijk maakt dat rampen komen en gaan en dat je altijd weer een nieuw spel kunt beginnen. De twee oudste kinderen krijgen samen een basketbalset bestaande uit een net op een paal met een scorebord dat automatisch bijhoudt of er iemand een punt heeft gescoord. Voor Jessie vervangt basketbal tijdelijk voetbal op de zaterdag, en Sammy speelt het ook. Ze krijgen ook samen Shrinky Dinks, een soort plakplaatjes die je zelf kunt inkleuren en dan in de broodrooster kunt stoppen, waar ze door de warmte veranderen in spinnen en andere dieren. Ik mag de broodrooster bedienen. James heeft niet alleen een Caterpillar-kiepauto, een benzinepomp en een werkbank gekregen, maar ook een speelgoedbroodrooster. 'Nu kan ik ook brood maken, Boppo,' zegt hij.

Afgezien van het indringende deuntje van The Wiggles, waaraan James erg gehecht is geraakt – '*fruit salad, yummy yummy*' – verloopt de dag aangenaam. James rent van de ene bezigheid naar de andere, als een gedreven schilder wiens hand over een groot doek heen en weer schiet; hij staat ergens in huis te hameren en verplaatst daarna iets van de ene kamer naar de andere. John speelt het spelletje 'Sorry' met Jessie en zegt tegen Ginny dat het hem eraan herinnert dat Amy hetzelfde spel met hem speelde toen hij nog klein was. 's Middags gaan we met ons allen naar de zus van Harris, Beth, die op Capitol Hill woont. Beth werkt als headhunter in Washington en neemt Jessie en Sammy soms mee voor een rondleiding op kantoor. Ze combineert de festiviteiten rond kerst met een inzamelingsactie voor kinderen van gedetineerden en heeft gasten gevraagd een donatie mee te brengen. Ze doet hier zo bescheiden over dat zeker de helft van ons de donatie vergeet. Beth heeft haar enthousiaste talent voor liefdadigheidswerk van haar ouders geërfd. Howard en Dee hebben een groot deel van het jaar doorgebracht in Maine, waar ze in het Acadia National Park hebben geholpen. Op hun Volvo-stationwagen zit een bumpersticker met de tekst: MIJN ANDERE AUTO IS EEN FIETS. Ik zeg tegen hen dat ik van plan ben een eigen bumpersticker te ontwerpen met MIJN ANDERE AUTO IS EEN GROTERE SUV. Ze glimlachen vriendelijk.

Aan het begin van de avond schuiven John, Harris, Ginny en ik aan voor het eten. Harris ziet er moe uit, en ik ook. Niemand zegt iets over het feit dat Amy er niet is, maar het gesprek verloopt moeizaam. Ik hoor dat Bubbies in de kamer naast ons telkens weer een cd van Hannah Montana op het karaoke-apparaat afspeelt. Hij luistert naar 'I Can't Wait to See You Again'.

Sammy's fascinatie voor het Empire State Building is begonnen nadat Ginny en ik hem op zijn speciale uitstapje mee naar New York hebben genomen. Hij zag het gebouw voor het eerst toen we de Holland Tunnel uit reden. 'Wat is het op een na hoogste gebouw?' wilde hij weten. Hij kon nog net een deel van het Chrysler Building achter het Empire State zien staan.

'Wist je dat er ooit een gorilla is geweest die helemaal boven op het Empire State Building is geklommen?' zei ik. 'Echt niet!' zei hij. Nu ik over King Kong was begonnen, was ik verplicht de dvd van de oorspronkelijke versie uit 1933 voor hem te kopen, als verlaat kerstcadeautje. Op een middag heb ik er samen met Sammy en Jessie naar gekeken terwijl James en

Ligaya in en uit liepen. Ik was een tikje bezorgd over bepaalde scènes die ik me kon herinneren, zoals die waarin King Kong zomaar een vrouw uit de slaapkamer van haar flat plukt en haar op straat neersmijt. Ik was er niet helemaal zeker van of de kinderen de schoonheid in het beest zouden zien. Maar ik nam aan dat het formaat van de aap de meeste aandacht zou trekken, en dat was ook zo. Jessie kon alles aan, behalve de bloedende dinosaurussen. Toen ze het zwarte bloed zag opwellen, dook ze weg onder een foulard. Sammy vond het allemaal geweldig, zeker toen King Kong zichzelf als overwinnaar op de borst klopte. En het beklimmen van het Empire State Building was al even goed als was beloofd. James merkte op dat King Kong 'echt heel groot' was.

In de jaren zeventig waren er in Washington minstens twee elkaar beconcurrerende bioscopen die films als *King Kong* vertoonden. In het weekend namen Ginny en ik Carl en Amy mee naar de Biograph en de Key voor films als de 'Road'-reeks met Bing Crosby en Bob Hope, de Sherlock Holmes-verfilmingen met Basil Rathbone en Nigel Bruce (de bron voor hun onenigheid met Halloween), *The Lady Vanishes* en *The 39 Steps* van Hitchcock. Amy's lievelingsfilm was *The Philadelphia Star.* Het was even moeilijk om onze kinderen naar zwart-witfilms te laten kijken als het was om ze uit te leggen aan Sammy en Jessie, maar toen ze er eenmaal voor waren gewonnen, waren ze dol op *King Kong*. 'Waarom neemt hij die vrouw mee?' vroeg Sammy. Ik zei tegen hem dat hij met haar wilde trouwen. 'Wat vind je van King Kong?' vroeg ik. 'Hij is gemeen, maar hij is ook aardig,' zei hij.

Jessies bedaarde reactie op *King Kong*, zonder een spoor van paniek, leek aan te geven dat ze enerzijds haar onwankelbare optimisme weet te behouden maar anderzijds leert te aanvaarden dat er angstaanjagende dingen bestaan. Een paar jaar geleden vroeg Betsy Mencher, een vriendin van Amy, of haar man Andy en zij Jessie en hun eigen dochter Julia, die van Jessies leeftijd is, mochten meenemen naar een uitvoering van *Beauty and the Beast* van de plaatselijke toneelvereniging. Zoals altijd reageerde Jessie opgetogen, maar Amy voorspelde dat Jessie het nog moeilijk zou krijgen met het Beest. Jessie kon moeilijk omgaan met alles wat gemeen of kwaad was.

'Wat kende Amy haar kinderen toch goed,' zei Betsy tegen me. De enigszins onheilspellende openingsmuziek was nog maar amper gestart of Jessie had al geschrokken gereageerd, en nog geen paar minuten later zat ze te huilen. 'Ik heb haar zo snel mogelijk mee naar buiten genomen,' zei Betsy. 'En toen zijn we maar naar McDonald's gegaan.'

Amy kende Betsy ook goed. Toen de twee vriendinnen afstudeerden, had Betsy's vriendje het net uitgemaakt. Ze kwam elke dag naar onze flat in New York, zodat Amy haar kon vertellen dat hij een waardeloze vent was en dat Betsy veel betere jongens kon krijgen, en meer van dergelijke gebruikelijke verzekeringen. Naast troosten bood Amy ook troosteten en gaf ze Betsy de pasta met kaas die haar kleine broertje John had klaargemaakt; de pasta had de vorm van dinosaurussen. Toen Betsy jaren later Amy's huis in Bethesda bezocht, stuitte ze in de voorraadkast op pasta in de vorm van dinosaurussen. Ze vroeg waarom die daar stond. 'Om mijn kinderen te troosten wanneer die verdrietig of zielig zijn,' zei Amy.

Ik hoor haar dat zo zeggen. Ze sloeg vaak de toon aan van een komiek, gevat, ook wanneer ze iets zei wat niet grappig was. Zoals bij elke komiek met serieuze trekjes kon je zelfs in het luchtigste verhaal nog sporen van een tragedie aantreffen, en wanneer ze iets vertelde wat hilarisch was, had haar stem precies de juiste toon. Op een avond zaten we met de hele familie in Quogue te eten en Harris te plagen omdat hij tijdens een golfreisje naar Hawaii op de grond had moeten slapen. 'Harris maakt er op Hawaii het beste van,' zei Amy, alsof het de titel van een kinderboek was. Ze moest lachen, en Harris moest lachen, en alle anderen ook.

Het is vreemd dat ik meer over Amy lijk te weten nu ze dood is dan toen ze nog leefde. Ik ken haar niet beter (ik vraag me af of dat wel mogelijk is), maar er was zo veel gaande in haar leven waarvan ik me tot nu toe niet bewust was, en pas nu ik met haar vrienden en collega's praat, hoor ik iets over een verstandige beslissing, een attent gebaar. Jean Mullen, Amy's voormalige hoofdarts, vertelde me dat Amy en zij toevallig hetzelfde servies hadden en allebei klaagden dat de soepkommen niet diep genoeg waren. Jean zei: 'Op een dag stond Amy bij me voor de deur met een nieuw stel soepkommen voor ons allebei.' Je ziet veel goede eigenschappen in je kinderen wanneer die zich tot aardige volwassenen ontwikkelen, maar je kunt nooit echt weten hoe ze op anderen overkomen omdat ze te dicht bij je staan. De dood schept zo veel afstand dat ik nu wel inzie hoe Amy op anderen overkwam. Mijn dochter heeft een rol in hun levens gespeeld. Die kennis kon niet voorkomen dat ik onlangs bij Ledo's Pizza opeens zomaar tranen in mijn ogen kreeg. Maar het is iets.

Carl, Wendy en de jongens komen op een zondag naar ons toe, en we rijden naar het Air and Space Museum op Dulles Airport. Harris blijft thuis om wat werk in te halen. Het museum is een verkleinde vorm van dat in het Smithsonian in het centrum van de stad, maar dit is beter te bereiken, en we hopen dat het er minder druk is. Druk is het er zeker, maar er is een hoop te zien voor de kinderen: dubbeldekkers, oude vliegtuigen, bommenwerpers en attracties die een ruimtecapsule simuleren en ervoor zorgen dat je maag zich omdraait. Sammy ziet een kraampje waar alles, van de kleinste sleutelhanger tot een grote modelraket, zesentwintig dollar lijkt te kosten. 'Mag ik dat hebben, Boppo?' Hij wijst naar de raket. Ik kies dit moment om grenzen te trekken. Hij heeft al zo veel. Tijdens de zomer op Long Island heeft hij tijdens een bezoek aan het aquarium in Riverhead gevraagd om een grijs-witte knuffelhaai, die ik zonder aarzelen voor hem heb gekocht. Hier en nu besluit ik echter nee te zeggen.

Hij pakt de raket op en houdt die omhoog, alsof hij zo wil aangeven hoe geweldig het ding is. Ik houd voet bij stuk. 'Zoiets heb je niet nodig, Sammy,' zeg ik. 'En hebben we trouwens ook niet zoiets thuis?' Hij zegt: 'Maar ik wil deze hebben, Boppo.' Ik zeg: 'Vandaag niet. Kom, dan gaan we naar de oude vliegtuigen kijken.' Hij doet net alsof hij de raket laat vliegen. Carl komt naar ons toe. 'Wat heb je daar, Sam?' vraagt hij. 'Dit is een te gekke raket,' zegt Sammy. 'Wil je die hebben?' vraagt zijn oom. En voordat ik tussenbeide kan komen, heeft Carl de zesentwintig dollar al neergelegd. Die avond vertel ik Harris over mijn morele verlies. 'Is het niet frustrerend?' zegt hij, terwijl hij me recht aankijkt.

Ligaya valt op het ijs. Tijdens het eerste deel van de week houdt een hersenschudding haar aan haar bed gekluisterd. Wanneer ze weer naar ons toe komt, rent James op haar af. Ze omhelst hem terwijl hij haar hoofd vastgrijpt, haar gezicht telkens weer bestudeert en zijn hoofd op haar schouder legt. Twee hele minuten lang weigert hij haar los te laten. Ze is slechts drie dagen weg geweest. Ginny en ik kijken elkaar even schattend aan. Ligaya is van plan om in april en mei haar familie op de Filippijnen te bezoeken. Dan zal ze zes weken wegblijven. Ik dreig haar paspoort te laten intrekken.

Andrews zesde verjaardag wordt gevierd bij Laser Nation in Sterling, Virginia. Jessie en Sammy zijn erg opgewonden. James mag ook mee, maar hij is te klein om op andere kinderen te schieten of zelf te worden neergeschoten. Bij Laser Nation krijgen alle kinderen een laserpistool dat is vastgemaakt aan een dik vest dat oplicht zodra ze worden geraakt. De kinderen zitten elkaar achterna door donkere gangen vol leidingen en grijze en zwarte wanden. Het ziet eruit als het interieur van een onderzeeër. Het hout is zo beschilderd dat het net staal lijkt. Nadat de kinderen vooraf de instructies hebben gekregen – niet rennen, geen lichamelijk contact, geen onsportief gedrag – bewegen rode, oranje, blauwe en gele teams, herkenbaar aan de lampjes die ze dragen, door het doolhof. Graeme, een van de deelnemende vaders en afkomstig uit Australië, zegt: 'Geen onsportief gedrag? Dat is discriminerend tegenover Australiërs!'

Zo zien verjaarspartijtjes er tegenwoordig uit, al spelen ze zich niet allemaal af in een omgeving die aan een oorlogsgebied doet denken. Afgelopen jaar vierde Jessie haar verjaardag bij Dave and Buster's, een soort casino voor kinderen waar je interactieve spelletjes kunt doen, en Sammy vierde de zijne bij de Little Gym, waar kinderen op matten springen en buitelen. Het voordeel van zulke plekken is dat de ouders later niets hoeven op te ruimen en dat het personeel alles in goede banen leidt. Ik vind ze vreemd, maar onschuldig, al geldt dat laatste misschien niet helemaal voor Laser Nation.

Ik speel wat met Bubbies en laat hem dan achter bij Harris en loop naar de videospelletjes, waar Caitlin me te pakken krijgt en een tijdje met me loopt te dollen voordat ik haar bij haar moeder aflever. De videospelletjes hebben namen als 'Extreme Hunting' en 'Virtual Cop'. Ik heb nog nooit zo'n spel gespeeld en kies voor 'Virtual Cop'. Ik haal het blauwe plastic pistool uit de houder en schiet elke boef neer die op het scherm verschijnt. Ik krijg het snel in mijn vingers. Mijn score is 'excellent'. Er verschijnt een mededeling: 'Wanneer alle levens op zijn, is het spel voorbij.'

Nadat ze zo veel mogelijk tegenstanders hebben

neergeschoten leggen Jessie, Sammy, het feestvarken en de vijftien andere kinderen hun wapens neer en beginnen aan de taart. Bubbies gaat tussen de grotere kinderen zitten, maar zijn hoofd steekt amper boven de rand van de lange tafel uit. Hij kijkt en luistert, en wekt niet de indruk dat hij zich niet op zijn gemak voelt in het gezelschap van oudere kinderen. Jessie maakt kennis met Ella, de dochter van de Australische Graeme. Ella is nog geen zes. 'Ik hoor een accent,' zegt Jessie. 'Kom je uit Frankrijk?' 'Als ik uit Frankrijk kwam, zou ik wel Frans spreken,' zegt Ella.

Jessies afvinklijstje, dat aan de muziekstandaard op het keyboard hangt. Er zijn vakjes die ze kan aankruisen:

- ❑ aankleden
- ❑ tanden poetsen
- ❑ haar borstelen
- ❑ bed opmaken
- ❑ na het eten tafel afruimen

Wanneer ik er een dagje niet ben, belt Harris om te zeggen dat James met een markeerstift op het bankstel heeft zitten kalken en dat hij naar zijn kamer is gestuurd.

'Heeft hij al een advocaat?' vraag ik. Harris heeft, zoals veel artsen, de pest aan advocaten.

'Hij is al veroordeeld en gestraft,' zegt hij.

'Zonder fatsoenlijk proces?' vraag ik. 'Dan moet ik maar namens hem in beroep gaan. Dit zaakje is zo gepiept. En bereid je maar voor op een civiele zaak vanwege schadeclaims.'

'Doe geen moeite. Er zijn getuigen,' zegt hij.

'Minderjarigen?' vraag ik. 'Zitten er vingerafdrukken op die stift? Heeft hij bekend?'

'In zekere zin wel, ja,' zegt Harris. 'Maar hij ziet nog niet de omvang van zijn misdrijf in.'

'Maar waarom is hij dan als volwassene veroordeeld?' vraag ik. 'O, dat doet me eraan denken: mag hij nog een telefoontje plegen?'

'Ja,' zegt Harris. 'En hij gaat jou bellen.'

Lang geleden heb ik al de hoop verloren dat ik ooit nog eens iets nieuws zou leren; ik heb te weinig hersencellen over. Nu weet ik, dankzij de verhaaltjes die ik voor het slapengaan met Sammy lees, opeens weer van alles over vrachtwagens, schepen, vliegtuigen, kranen en boren. Gisteravond ben ik even bij Jessie gaan liggen, nadat ik met Sammy het verschil in kracht tussen stabilisatoren en vorkheftrucks heb besproken. Ginny had haar net twee hoofdstukken uit *De reuzenperzik* voorgelezen, en Harris zat bij James. Jessie pakte net een ander boek, *Paultje en het paarse krijtje,* om aan mij voor te lezen.

'Paultje verzint zijn eigen wereld,' zei Jessie. 'Net als schrijvers,' zei ik. Jessie wil afwisselend schrijver, arts, fotomodel en dirigent worden. 'Als je besluit schrijver te worden, Jess, kun je verzinnen wat je maar wilt: vrienden, prinsessen, monsters...' 'En nieuwe werelden,' zei ze. 'Nieuwe planeten,' zei ik. 'Paultje maakt niet alleen zijn eigen wereld, hij leeft er ook in. En dat doen schrijvers ook. Je zou kunnen zeggen dat de inspiratie van een schrijver de basis voor zijn wereld is.' Jessie zei: 'Inspiratie. Kunnen we dat morgen als woord van de ochtend doen?' Ik zei: 'Ja, dat doen we.'

We bleven nog even praten over al die dingen die een schrijver kan verzinnen, net als Paultje. Ik vertelde dat je soms tijdens het verzinnen van dingen niet meteen kunt vinden waarnaar je op zoek bent en dat je moet blijven proberen totdat het lukt. Soms is het iets wat je al eerder hebt bedacht maar weer bent vergeten, en nu moet je het opnieuw bedenken. 'Net als het raam van Paultje,' zei Jessie. Paultje tekent met zijn krijtje eerst een raam, en daarna nog een, en vervolgens een hele stad aan ramen in de hoop het raam te vinden dat hij is kwijtgeraakt. 'Net als het raam van Paultje,' zei ik.

Sammy zegt dat hij duiker wil worden als hij later groot is, maar hij heeft ook talent voor uitvinden. Hij zou graag iets willen uitvinden wat je boven op een helm kunt zetten en waarmee mensen onzichtbare dingen kunnen zien. 'Zoals ultraviolette straling,' zegt hij. 'En mama.' Ik haal een paar boeken over Thomas Edison voor hem, voor wie hij belangstelling heeft opgevat nadat ik hem over een paar uitvindingen van Edison heb verteld. Op een avond zitten we samen over een boek gebogen dat de vroege jaren van Edisons leven beslaat. Sammy is het meest onder de indruk van het feit dat Edison op zijn drieëntwintigste al grijs werd. Ik lees hem voor over de telegraaf en de fonograaf, en probeer hem uit te leggen hoe die apparaten werkten. Ik lees voor mezelf vooruit op de pagina en zie dat er staat dat Edisons vrouw overleed toen hij nog maar zevenendertig was en dat hij met drie kleine kinderen achterbleef. Ik aarzel even, maar lees dat stukje toch aan Sammy voor. Hij luistert aandachtig, maar zegt niets.

Op de ochtend van oudejaarsavond is Jessie het eerste kind dat beneden is voor het ontbijt. 'Ik heb zo fijn gedroomd,' zegt ze. 'Ik heb gedroomd dat mama nog leefde en dat ze een baby kreeg, een meisje.' Ik vertel haar dat ik na de dood van mijn vader ook vaak heb gedroomd dat hij nog leefde.

'Nee,' zegt ze. 'Zo ging het niet. Ik heb gedroomd dat ze mama uit de grond haalden en ontdekten dat ze nog leefde. Er zat alleen maar een klein scheurtje in haar hart, en dat konden ze beter maken.'

'Heb je in je droom nog met haar gepraat?' vraag ik.

'Haar stem klonk heel erg licht. Ik kon niet verstaan wat ze allemaal zei.' Jessie klinkt niet verdrietig, het is eerder alsof ze verslag doet van iets wonderbaarlijks. Ze kijkt naar het woord van de ochtend, dat toevallig 'verjongen' is.

Catherine Andrews, de psychotherapeute van de kinderen, heeft haar praktijk aan huis, in een van die schijnbaar ontelbare fraaie huizen aan de rustige, met bomen omzoomde straten in het noordwestelijk deel van Washington. Ze vertelt Ginny en mij dat dit haar ouderlijk huis is en dat ze als volwassene is teruggekomen om voor haar ziekelijke vader te zorgen. De inrichting van haar spreekkamer is helemaal op kinderen gericht, met kasten vol knuffelbeesten en tekenspullen en een kleine tafel in het midden. Aan de muur bij de deur hangt een poster met getekende kindergezichten in verschillende stemmingen. Op weg naar buiten mogen de kinderen aanwijzen hoe ze zich voelen.

We zitten aan het tafeltje. Catherine is een kleine, keurige vrouw van in de vijftig, van het soort aan wie je geheimen kunt vertellen. Ze heeft een vriendelijke, geruststellende uitdrukking en een kalmerende stem, die niet zo zacht of gespeend van autoriteit is dat je ervan in slaap valt. Ze zegt dat we min of meer alles goed doen, maar Ginny en ik zijn naar haar toe gekomen om te vragen hoe we het best kunnen reageren op gedrag zoals dat van Sammy die met uitgespreide ledematen plat op de grond ligt. 'Wanneer ze blijven denken aan hoe Amy er op dat moment uitzag, kunnen jullie overwegen om foto's te laten zien van hun moeder toen die nog leefde en gelukkig was,' zegt ze. Ze vertelt dat de dood drie aspecten heeft waaraan kinderen, en eigenlijk ook volwassenen, maar moeilijk kunnen wennen: de dood is overal, de dood is onvermijdelijk, en de doden zijn tot niets meer in staat. Ze legt uit: 'Er zijn kinderen die maar niet kunnen begrijpen waarom een dode ouder niet probeert naar hen terug te keren.' Ze vinden het onbegrijpelijk, zegt ze, dat er niets aan de dood kan worden gedaan.

Tot mijn verbazing zegt ze dat ze gelooft dat doden geestelijk aanwezig blijven. Ze geeft voorbeelden van bewijzen, tastbaar of anderszins. Het is ook duidelijk dat ze in God gelooft en dat haar God niet ingrijpt bij tragische gebeurtenissen. 'Maar Hij huilt om hen,' zegt ze. Ik luister eerbiedig. Ginny en ik vertellen haar dat we grote bewondering voor Harris hebben. We vertellen over het breekbare evenwicht van onze familieverhoudingen, en over onze pogingen om een rol te vervullen die tussen die van ouder en grootouder in ligt. Ze begrijpt dat we ons in een uitzonderlijke positie bevinden, maar verwacht geen problemen die we niet zouden kunnen oplossen.

Ik merk op dat ik vrees dat Harris de laatste tijd onder erg veel spanning gebukt gaat, en dat ik me ook gespannen voel. December is ons zwaar gevallen. Ik zeg dat ik telkens 'Amy' zeg wanneer ik Ginny of Jessie bedoel, en dat ik in sociale situaties vaak een afstand tot vrienden voel. Ze zegt dat rouwenden zichzelf vaak voorhouden dat alles na het eerste jaar wel beter zal gaan. Ze herinnert ons aan wat ze Harris helemaal in het begin heeft verteld: dat rouwen voor ieder van ons, en niet alleen voor de kinderen, een proces is dat een leven lang duurt. En wat betreft de periode van een jaar: 'Daarna wordt het vaak juist erger. Jij, Ginny en Harris worden nu allemaal met de harde waarheid geconfronteerd dat het leven voortaan zo zal zijn. Een jaar is helemaal niets.'

Tegen het einde van het uur vertelt ze over Jessie. Ze zegt dat jongens, en dus ook Sammy, de neiging hebben hun gevoelens te tonen en ze vervolgens achter zich te laten – hetzelfde wat ze ook al heeft gezegd naar aanleiding van de tekening van Amy op de grond die Sammy op school heeft gemaakt. Maar meisjes, zegt ze, zijn vaker binnenvetters die wachten totdat ze hun gevoelens zonder gevaar kunnen uiten. Jessie heeft zich een tijdlang ingehouden, vertelt ze, maar tijdens de laatste sessie heeft ze een tekening gemaakt die Catherine als een 'erg goed teken' ziet. Over het algemeen nemen creatief therapeuten aan dat kinderen die zichzelf stevig op de grond staand tekenen, met de hemel boven hen, zich veilig en zelfverzekerd voelen, vertelt ze. Jessie heeft zichzelf boven op een heuvel afgebeeld, met de hemel boven haar en een regenboog om haar heen.

Sammy vraagt me waarom we jaren hebben. We praten over wat een jaar op aarde inhoudt. We gaan te rade bij zijn 'interactieve planetarium', een pratende kaart van het zonnestelsel die vragen kan beantwoorden. We horen dat een jaar op elke planeet weer anders is. Een jaar op Jupiter staat gelijk aan bijna elf jaar en tien maanden op aarde. Een jaar op Neptunus beslaat bijna 165 aardjaren.

20 januari. 'James!' zegt Ginny. 'Weet je hoe de president van de Verenigde Staten heet?' Bubbies zegt: 'O-ba-ma!'

Een paar dagen later begin ik aan het nieuwe trimester aan Stony Brook. Ik geef nu nog maar één college, met als titel 'Schrijf alles', waarin ik studenten een essay, een gedicht en een toneelstuk laat schrijven. Ik probeer hen te laten inzien dat je eisen die aan de ene vorm worden gesteld ook op de andere kunt toepassen. Een maand geleden ben ik voor het laatst in Quogue geweest. Ik loop naar binnen en zie dat Kevin een cadeautje voor me op de keukentafel heeft neergelegd: een koperen plaatje met ouderwets ogende zwarte letters die het bedrag aangeven dat ik hem voor zijn werk aan het terras verschuldigd ben. Ik bel hem om te zeggen dat ik zijn grapje wel waardeer, en hij zegt dat hij me nog wel een rekening voor het koperen plaatje zal sturen.

'Ik heb een dvd van Stephen die zijn toespraak bij de diploma-uitreiking houdt,' zegt hij. 'Wil je die zien?'

Tijdens zijn gebruikelijke bezoek op dinsdagmorgen brengt hij een draagbare dvd-speler mee. We zitten zij aan zij aan de keukentafel, met onze ruggen naar de zon, en kijken naar de diploma-uitreiking van Mattituck High uit 2007. Op het kleine schermpje zijn de scholieren te zien die hun examen hebben gehaald: de meisjes dragen witte toga's, de jongens knalblauwe. Stephen loopt het podium op. Hij lijkt een beetje op zijn vader en zijn moeder, maar is ook op zijn eigen manier knap en heeft een diepe, welluidende stem. De gouden onderscheiding hangt aan een wit lint rond zijn nek. Hij voelt zich op zijn gemak tijdens de toespraak en heeft het niet over zichzelf, maar spreekt zijn klasgenoten toe. Hij gebruikt Monopoly als metafoor voor hun jaren op school: de 'valuta' van hun opleiding, het intellectuele 'onroerend goed' dat ze hebben verworven. Hij zegt: 'Gelukkig hoefden de meesten van ons niet naar de gevangenis.'

Hij zet zijn hoofddeksel af, doet een stel Mickey

Mouse-oren op en haalt herinneringen op aan een uitstapje van de klas naar Disney World. Hij draait zijn rug naar het publiek en kijkt naar zijn klasgenoten, die achter hem zitten. Iedereen lacht en juicht. 'Waar zitten Cathy en jij?' vraag ik aan Kevin. 'Op de eerste rij,' zegt hij. 'We hebben opnamen gemaakt van alles wat hij op school heeft gedaan, tot en met het saaiste concert aan toe.' Zijn ogen zijn rood.

> Bonten beestje, doe je oogjes toe,
> Kruip maar lekker weg
> Je bent vast moe.
> Ga maar slapen, veilig en zacht
> Tussen de bonten beestjes
> slaap jij de hele nacht.
> – uit *Little Fur Family*.

De doden hebben gedurende het afgelopen jaar een groot deel van mijn leven beheerst: boeken en gedichten over de doden, gesprekken met andere families over hun doden. Ik hoor de dood in onschuldige opmerkingen en onschuldige teksten. Op dat moment leek het toeval, maar ik weet dat het niet zo is. Ik moet het onderwerp proberen los te laten. Het is geen onderwerp dat altijd en eeuwig blijft bloeien, want erover nadenken eindigt slechts in een somber schouderophalen. Hoe dan ook, er is meer te doen. En ik word moe van mijn woede.

Ginny en Harris hebben wellicht het gevoel dat hun levens hen hebben voorbereid op de omstandigheden waarin we nu leven. Ik niet. Ik vraag me af of mijn leven me überhaupt wel ergens op heeft voorbereid, want totdat Amy stierf, had ik altijd het gevoel dat goede dingen me simpelweg zouden overkomen. Op een paar teleurstellingen na – waarschijnlijk nog minder dan gemiddeld – heb ik altijd een gezegend leven geleid. Nu leer ik wat de meeste mensen al op veel jongere leeftijd leren: dat het leven iets is wat je moet verdragen, dat je de beloningen moet verdienen. Omdat mijn beloning tegenwoordig bestaat uit het overleven van mijn familie stel ik me tevreden met pogingen die beloningen te verdienen.

Maar ik ben geen snelle leerling. Ik ben nooit een langeafstandsloper geweest, en nu, op een moment dat mijn benen zwak zijn en ik minder lucht heb, moet ik me opmaken voor een lange etappe, en dat druist tegen mijn aard in. Ik moet trainen om de wereld te kunnen verdragen zoals hij is, net als Amy deed, en tegelijkertijd moet ik proberen om die opgave niet als een lastig klusje te zien. Een van de weinige dingen die ik sinds de dood van Amy heb geschreven, is een recensie voor *The Washington Post Book World*. De roman was *Deaf Sentence* van David Lodge, een verhaal over een gepensioneerd docent linguïstiek, Desmond Bates, die zijn gehoor verliest en doof is voor het leven, totdat hij, tegen zijn wil, Auschwitz bezoekt en de stilte hem leert te horen. Hij leest een brief van een gevangene aan zijn echtgenote, die is aangetroffen in een berg menselijke as. Eén zin treft Desmond in het bijzonder: 'Er zijn wellicht op verschillende momenten onbeduidende misverstanden tussen ons geweest, en nu zie ik pas in dat we niet in staat waren de tijd die verstreek op waarde te schatten.' Voor zover ik kan bepalen, moet je het leven zo leiden: door de tijd die verstrijkt op waarde te schatten.

Carl en Wendy hebben een naam gekozen: Nathaniel A. Zonder punt achter de A, want het is niet de eerste letter van een tweede voornaam. Het is A.

We gaan het nieuwe jaar in, net als andere families, en geven op de muur van de speelkamer aan hoeveel centimeter de kinderen zijn gegroeid. Jessie stelt zich tegenwoordig bijna nooit meer aan. Ze haalt teleurstellingen en catastrofes niet langer door elkaar, en ze kan mislukkingen sneller achter zich laten. Ze leest erg goed en ik kan ingewikkelder grapjes uithalen met het woord van de ochtend. Ze houdt zichzelf in het gareel. Een tijdje geleden had ze geen belangstelling meer voor pianoles, maar ze heeft volgehouden. Ze heeft een nieuwe docente, Maja, die haar complimentjes geeft en aanmoedigt. Tijdens een van haar laatste lessen speelde ze niet alleen met haar vingers, maar ook met haar emoties.

Ze heeft zelfs haar jaloezie weten te beteugelen. Ze zegt dat ze nu begrijpt waarom ik met Caitlin speel: 'Ze heeft niemand van haar eigen leeftijd.' En de band tussen Ginny en haar is nog hechter geworden. Harris zegt tegen Ginny dat Jessie haar mist als ze er niet is. Gelegenheden als verjaardagen of een uitvoering op school, waarbij Amy's afwezigheid het meest opvalt, laten hun sporen na. Jessie was na het toneelstuk, waarin ze het erg goed deed, akelig stil. Maar haar opgewekte aard zegeviert. En ze waakt over haar broertjes. Ze maakte bijna nooit ruzie met Sammy en is lief voor hem wanneer hij daar behoefte aan heeft. Toen ik op een avond samen met haar zat te lezen, kwam Sammy binnen, met tranen in zijn ogen omdat hij bang was voor monsters. Jessie zei dat hij wel bij haar in bed mocht slapen. Wanneer James van streek is, zingt ze 'Wij zijn sterk' voor hem. Hij heeft buikgriep gehad en kotste de hele keuken onder. Jessie ging meteen naar hem toe om hem te troosten.

Tijdens mijn laatste bezoek aan Jessies klas heb ik op verzoek van mevrouw Salcetti verteld over *Children of War*, een boek dat ik in de jaren tachtig heb geschreven en waarvoor ik kinderen in vijf oorlogsgebieden over de hele wereld heb geïnterviewd. Bij wijze van inleiding vertelde ik aan de leerlingen van haar klas dat het zo triest is dat veel kinderen op deze wereld zelf geen macht en invloed kunnen uitoefenen. Jessie stak haar vinger op. 'Dat is niet waar, Boppo,' zei ze. 'We hebben wel macht, we kunnen nadenken en besluiten om vriendelijk te zijn.'

Sammy is goed in zo veel dingen dat hij soms zijn eigen maatstaven overtreft. Ook hij kan erg goed lezen. Ginny en ik brengen een bezoek aan zijn klas, waarin veel kinderen zitten die al vrij ver zijn met lezen. Hij vertoont een bijna wetenschappelijke waardering voor alles wat hij heeft geleerd. De opmerking die hij tegen

Harris over pinguïns maakte, hing samen met een werkstuk voor school dat is uitgegroeid tot een pinguïnmuseum waaraan ze met de hele klas hebben gewerkt. Sammy heeft me als een leraar langs alle tentoongestelde stukken geleid. 'Dat is een keizerspinguïn! Dat zie je aan dat oranje en geel, en hij is groter!'

Hij gaat erg goed om met de verantwoordelijkheden die Pam Meritt hem heeft gegeven. Samen met zijn vriendinnetje Diana mag hij het winkelwagentje heen en weer rijden waarin de broodtrommeltjes van de leerlingen van en naar de kantine worden gebracht. Sammy stapelt de trommeltjes uiterst zorgvuldig naast de kluisjes op. Hij maakt ook niet langer scheetgeluiden door zijn hand op zijn onderarm te leggen en zijn elleboog met pompende bewegingen op en neer te laten gaan. Dat geluid kon hij maken door alleen maar zijn handen te gebruiken, en ook zijn knieën. Een paar weken lang was dat zijn voornaamste bezigheid. Mevrouw Merritt verweet Harris en mij dat we hem dat trucje hadden geleerd, maar Harris en ik hebben het nooit gekund. We zeiden tegen mevrouw Merritt dat Sammy een autodidact was, een natuurtalent.

James is nu een kleine jongen. Hij geeft nog steeds blijk van temperament en een eigen wil. Toen Harris op een avond niet thuis was, wilde hij bij Jessie slapen. 'Jessie heeft ook haar slaap nodig,' zei ik toen ik hem naar zijn eigen kamer droeg. Hij riep: 'Stoute Boppo! Stout!' Het babyachtige gaat er nu snel vanaf. Ik mis het. Hij wil geen kussentje meer op zijn stoel, ook al betekent dat dat hij tijdens het eten op zijn knieën moet gaan zitten. Hij drinkt nu uit een 'grotemensenglas' en niet meer uit een kinderbeker met een tuitje. Hij vraagt om zijn eigen woord van de ochtend en krijgt dat ook. Vroeger moest zijn geroosterde boterham altijd voor hem in kleine stukjes worden gesneden, maar nu wil hij 'echt brood', in twee helften. Hij speelt met een vormenstoof en met Vier op een Rij. Hij wordt helemaal in beslag genomen door verschillende projecten: sleutels in deuren en bureauladen steken en ze er weer uit halen, een niet-aangesloten straalkacheltje dat ongeveer eenderde van zijn eigen formaat is heen en weer slepen en aan- en uitzetten, naast de karaoke staan luisteren, de afstandsbediening van de ene tv weghalen en bij een ander toestel leggen, zodat niemand nog ergens naar kan kijken. Hij is het drukste baasje dat ik ooit heb gekend.

Op school speelt hij in zijn eentje. Toen Ginny en ik hem op een ochtend kwamen halen en aan de vroege kant waren, zaten we vanuit de auto naar hem te kijken, zonder dat hij ons kon zien. Samen met een paar leeftijdgenoten van de crèche speelde hij buiten op het plein. Hij klom aan boord van een groot, breed, houten speeltoestel in de vorm van een schip, vlak bij Amy's bankje. Hij droeg een blauw gebreid wollen mutsje van Georgetown en zijn zilverkleurige winterjas hing open. Mevrouw Franzetti, die ook aan boord was, ritste zijn jas voor hem dicht. Om half twaalf gingen de kinderen allemaal achter elkaar in de rij staan, klaar om terug naar binnen te gaan. De juffen torenden als reuzen boven hen uit en leidden hen de goede kant op. James keek naar zijn voeten terwijl hij de gele streep volgde. Ze hebben een klassenfoto gemaakt waarop hij net een kleine student aan Eton lijkt, gekleed in een rugbyshirt met groene en zwarte strepen, een wit kraagje en een nepwapen op de borst. Zijn uitdrukking is kwetsbaar en volwassen tegelijk, en hij lijkt eerder vijf of zes dan twee. We hebben de foto op het aanrecht gezet. 'Wie is dat?' vraag ik aan hem. 'Ikke!' Blij en trots. Ik vind het geen leuke foto.

Harris heeft zich opgegeven voor golfles. Hij heeft een handicap van twaalf (tegenwoordig heeft hij de tijd om de score bij te houden) en houdt dinsdagmiddag vrij om les te kunnen nemen bij een beroeps. Hij weet dat ik golfen niet als een sport beschouw, en ik doe net alsof zijn besluit me verveelt, maar eerlijk gezegd zijn Ginny en ik erg blij dat hij iets voor zichzelf doet. Hij is ook begonnen met snowboarden. Af en toe gaat hij tot laat op de avond met vrienden een biertje drinken. De laatste tijd gaat hij vaak naar de verjaardagen van oude schoolvrienden uit Bethesda, die allemaal veertig worden. Tijdens zijn eigen veertigste verjaardag heeft Carl een surpriseparty voor hem georganiseerd en zag ik dat hij met Matt Winkler, Scott Craven en Ramy Ibrahim, zakenmannen die allemaal samen met Harris op Walt Whitman High hebben gezeten, stond te lachen over oude vriendinnen en flauwe grapjes stond te maken. Ze leken weer zestien. Voorheen at hij snel een hapje tussendoor, terwijl hij de kinderen in bad deed en naar bed bracht. Nu zitten Ginny, hij en ik doorgaans als beschaafde volwassenen aan de keukentafel terwijl Jessie en Sammy een douche nemen.

En Ginny? Na een dag waarop ze de boterhamtrommels voor Jessie en Sammy heeft gevuld, heeft gekeken of Jessies huiswerk in haar rugzak zit, ervoor heeft gezorgd dat Jessie klaarstaat als ze om acht uur 's morgens voor Spaanse les wordt opgehaald en Sammy zijn warme jas heeft aangetrokken en niet de trui die hij liever draagt, Bubbies naar Geneva heeft gebracht en daarna weer is teruggegaan naar Burning Tree om een handje te helpen in Sammy's klas; nadat ze Bubbies heeft opgehaald en hem middageten heeft gegeven en terug is gereden naar Burning Tree om Jessie op te halen, die bij Danielle gaat spelen; nadat ze boodschappen voor het avondeten heeft gedaan en thuis een oogje heeft gehouden op Sammy en Bo, die bij hem is komen spelen; nadat ze Jessie weer heeft opgehaald en met Bubs en zijn driewieler heeft gespeeld en het avondeten voor Bubbies, Jessie en Sammy heeft klaargemaakt; nadat ze Bubbies in de speelkamer heeft voorgelezen en daarna weer naar boven is gelopen om Jessie te helpen met de spellingsoefeningen die ze als huiswerk heeft gekregen, en nadat ze het schema voor Sammy en Jessie voor de volgende dag heeft gemaakt en de moeder van een van Sammy's vriendjes heeft gebeld die graag wil dat hij volgende week een keer bij hen komt spelen; nadat ze het avondeten heeft klaargemaakt voor Harris, haarzelf en mij; nadat ze nog even met Jessie heeft zitten kaarten en heeft gevraagd of Jessie en Sammy naar de wc zijn geweest voordat ze in bed kruipen, en Jessie heeft voorgelezen en Jessies en Sammy's en Bubbies' kleren voor de volgende dag heeft klaargelegd... geeft ze de kinderen een nachtzoen.

Op een dag ben ik alleen in huis. Het loopt tegen de middag. Ik kan me de tijd niet heugen dat dit voor het laatst is gebeurd. Harris zit op zijn werk. Ginny is boodschappen aan het doen. Sammy en Jessie zitten op school. Bubbies is met Ligaya naar zijn sportclubje. Ik word geacht te schrijven. In plaats daarvan dwaal ik door de verlaten kamers: de speelkamer, de slaapkamers van de kinderen, de gangen. Het enige geluid is het zoemen van de koelkast.

Wanneer er anderen aanwezig zijn, vallen de voorwerpen in een huis je amper op. Nu vat ik belangstelling op voor Sammy's prullenbak met het logo van de Redskins, voor Jessies aquarium, voor James' quilt, die met rijdende treintjes is versierd. Het huis voelt koud. Ik pak Jessies keyboard en speel wat. Achter me staan de stoelen van de kinderen, gekocht bij Pottery Barn, met hun namen erop. Ik loop naar de tv-kamer, maar zet het toestel niet aan. Ik loop naar Harris' slaapkamer en kijk naar de foto's van het gezin op de ladekast.

Ik loop terug naar de keuken. De deur van de koelkast is bedekt met nog meer familiefoto's, met visitekaartjes van bedrijven die het huishouden ooit nog nodig zou kunnen hebben, zoals slotenmakers of taxi's, een telefoonnummer voor eerste hulp bij vergiftiging, en souvenirs van plekken waar Amy en Harris met de kinderen zijn geweest. De papieren servetten liggen slap in hun houten houder. Cheerios kleven aan de binnenkant van een kom.

Hoi, Wend, A hier. Ik was net in Toys 'R' Us en ik, eh, heb iets voor de jongens gekocht... Ik weet niet of ik er iets over moet zeggen, straks horen ze het nog [lach]. Maar goed, kun je me even terugbellen? Ik heb dat gekocht waarvan je ook een deel bij mij thuis hebt gezien en waar je toen meteen van zei dat de jongens het geweldig zouden vinden. En dus... Ik zei al dat er een heel kostuum bij hoorde, maar goed, dat heb ik dus gekocht... Ik weet niet, als je het zelf al hebt gekocht, moet je het maar zeggen, dan ga ik het weer ruilen. Ik wilde het even zeker weten. Eh, ik hoop dat je hier nog wijs uit kunt worden. [Luide lach.] Ik spreek je later wel. Dag.

Het is 1 maart 2009. Om zes uur 's morgens ziet de lucht er rokerig uit. Ik dek de tafel voor het ontbijt en kijk tv, wachtend op de kinderen. Het weerbericht rept over de vorst waaronder het Midwesten gebukt gaat en over een sneeuwstorm die vanuit het zuiden nadert en records gaat breken. Bubbies trippelt in zijn rode hansop zijn kamer uit. Hij loopt bijna helemaal de trap af, spreidt zijn armen voor me uit en springt. We kijken door de glazen deur naar buiten.

'Gaat sneeuwen,' zegt hij.

'Daar ziet het wel naar uit, Bubs. Wil je vandaag een banaan?' vraag ik aan hem.

'Geroosterd brood,' zegt hij. 'Echt geroosterd brood.'

'Dan krijg jij echt geroosterd brood.'

Hij loopt naar de tafel en gaat op zijn knieën op zijn stoel zitten. Ik geef hem een in plakjes gesneden banaan en een geroosterde boterham, en neem zelf ook geroosterd brood en koffie. We eten.